MECHTHILD DREYER

NIKOLAUS VON AMIENS: ARS FIDEI CATHOLICAE – EIN BEISPIELWERK AXIOMATISCHER METHODE

ASCHENDORFF MÜNSTER

BEITRÄGE ZUR GESCHICHTE DER PHILOSOPHIE
UND THEOLOGIE DES MITTELALTERS

Texte und Untersuchungen

Begründet von Clemens Baeumker
Fortgeführt von Martin Grabmann und Michael Schmaus
Im Auftrag der Görresgesellschaft herausgegeben von
Ludwig Hödl und Wolfgang Kluxen

Neue Folge
Band 37

© 1993 Aschendorffsche Verlagsbuchhandlung GmbH & Co., Münster

Gesamtherstellung: Druckhaus Aschendorff, Münster, 1993

ISBN 3-402-03932-X

VORWORT

Die zur vorliegenden Arbeit gehörende Edition wurde im Rahmen eines von Herrn Prof. Dr. Ludger Honnefelder geleiteten Forschungsprojektes erstellt, das die Deutsche Forschungsgemeinschaft mit einer Sachbeihilfe gefördert hat. Herrn Rudolf Teuwsen Ph.D., der an diesem Projekt mitgearbeitet hat, habe ich für Mithilfe bei der Erstellung der Edition zu danken, ebenso Herrn Hannes Möhle M.A.

Zu besonderem Dank verpflichtet bin ich Herrn Prof. Dr. Dr. h.c. mult. Wolfgang Kluxen und Herrn Prof. Dr. Ludwig Hödl für die Aufnahme der Arbeit in die von ihnen herausgegebene Reihe „Beiträge zur Geschichte der Philosophie und Theologie des Mittelalters" sowie der Görres-Gesellschaft für den Zuschuß, der die Drucklegung ermöglichte.

Mechthild Dreyer

INHALT

Dritter Teil
TEXTE

Erster Teil

REGULARE METHODE UND AXIOMATIK IM 12. JAHRHUNDERT

1 Fortschritt der Philosophie als Fortschritt ihrer Methodik

Die *Ars fidei catholicae,* die Nikolaus von Amiens am Ende des 12. Jahrhunderts verfaßt, ist eine Schrift, die weniger wegen ihres Inhaltes als vielmehr aufgrund ihrer außergewöhnlichen Form philosophisches Interesse auf sich zieht. Ihr Stellenwert in philosophiehistorischer wie -systematischer Hinsicht bestimmt sich im Kontext einer Reihe von Entwicklungen, die im Denken der griechischen Antike ihren Ausgang nehmen und sich in die philosophische und theologische Reflexion des Mittelalters hinein fortsetzen. Sie sind das Ergebnis immer wieder neuer Versuche, ein Problem zum Gegenstand der Untersuchung zu machen, das man als die Frage nach dem Maß rationaler Durchdringung theoretischen und praktischen Wissens oder als Frage nach der Wissenschaftlichkeit philosophischer und theologischer Reflexion bezeichnen kann.

Die Bedeutung einschätzen zu wollen, die dem Werk des Nikolaus im Rahmen dieser philosophischen Traditionen zukommt, bedeutet aber zugleich, nach dem Neuen dieser Schrift gegenüber den bisherigen Antworten zu fragen, bedeutet mit anderen Worten, die Frage nach ihrem möglichen Fortschritt gegenüber dem bis dahin Erreichten zu stellen.

Gesteht man zu, daß es in der Beschäftigung mit philosophischen Fragestellungen einen Fortschritt gibt, dann wird man ihn entweder in einem Zuwachs an Wissen sehen[1] oder in einer Verfeinerung des Methodenbewußtseins. Die letztere Ansicht formuliert zum ersten Mal Descartes,[2] und auch Kant vertritt sie in seiner Preisschrift: Wenn es überhaupt einen Fortschritt in der Wissenschaft gebe, liege er in der

---

[1] Vgl. Aristoteles, Met. I 3ff., 983 b7ff., wo die fortschreitende Erkenntnis der Ursachen des Seienden beschrieben wird; ferner Soph. Widerl. I 34, 183 b 17ff.; Thomas v. Aquin, S.th. I–II, 97, 1: . . . videmus in scientiis speculativis quod qui primo philosophati sunt, quaedam imperfecta tradiderunt, quae postmodum per posteriores sunt magis perfecta; sowie ders., S.th. I, 44, 2.

[2] Vgl. R. Descartes, Regulae IV, ed. Adam-Tannery X, 373; ferner das Widmungsschreiben der „Meditationes" an die Sorbonne, ed. Adam-Tannery VII, 5.

Gewinnung von Maximen der Denkungsart und in der von der Kritik geforderten Revolution der Denkart.[3]

Woran aber bemißt sich dieser Fortschritt der Methodenreflexion? Folgt man einem Vorschlag Oeing-Hanhoffs, so kann man zwei Kriterien namhaft machen: Zunehmendes Methodenbewußtsein ist einerseits daran erkennbar, daß die Philosophie ihre Aufgaben, Grenzen und Bedingungen als Wissenschaft klarer erfaßt, andererseits ist es daran ablesbar, daß sich in ihr eine wachsende Aufhebung der Diskrepanz zwischen Lehre und Durchführung der Methode vollzieht.[4]

In der Auseinandersetzung mit dem Methodenproblem, also mit der Frage, wie die Philosophie den sicheren Gang einer Wissenschaft gehen könne, bietet die *Ars fidei catholicae* den Versuch einer Antwort, den man als den Endpunkt eines der Wege bezeichnen kann, die in der Tradition zur Lösung dieses Problems eingeschlagen worden sind. Gemeint ist die Richtung innerhalb der Philosophie, die sich, um die Wissenschaftlichkeit eigenen Arbeitens zu sichern, hinsichtlich der Wahl ihrer Methode an der Mathematik orientiert, sei es unmittelbar oder vermittelt über die Naturwissenschaften. Ihr verdankt sie auch die beiden wichtigsten Methodenformen, die in der griechischen Antike zum ersten Mal entwickelte analytische und synthetische Vorgehensweise. Beide Wege sind im Blick auf ihre Bedeutung für die philosophische Arbeit ausführlich erörtert worden, die synthetische Methode bei Aristoteles und die analytische bei Descartes.

Aber auch das Mittelalter, insbesondere die Zeit des 12. und des 13. Jahrhunderts, beschäftigt sich im Rahmen des im lateinischen Westens vom 11. bis zum 13. Jahrhundert dauernden Prozesses der Selbstkonstitution der Wissenschaft[5] intensiv mit dem Thema der Wissenschaftlichkeit der Philosophie und der ihr angemessenen Methoden und wird so zu einer Vermittlungsstelle zwischen Antike und Neuzeit. Gegenstand mittelalterlicher methodologischer Reflexion ist allein die synthetische Form der mathematischen Methode. In diesen Prozeß der Wissenschaftskonstitution ist auch der Versuch der *Ars fidei catholicae* einzuordnen, die zentralen Inhalte der christlichen Theologie aus er-

---

[3] Vgl. I. Kant, Preisschrift über die Fortschritte der Metaphysik. Vorrede, Akad.-Ausg. XX, 261; ders., KrV. Vorrede zur zweiten Auflage, Akad.-Ausg. III, 11–12.

[4] Vgl. Oeing-Hanhoff (2) 105; Oeing-Hanhoff formuliert diese Kriterien in Hinblick auf die philosophische Teildisziplin der Metaphysik.

[5] Vgl. Koch (2); Kluxen; ferner Schrimpf (2), (3); sowie Lohr (1), (2). Wissenschaft umfaßt in dem hier gemeinten Sinn sowohl den Aspekt der Theorie in Hinsicht auf ein Weltverständnis – gefaßt als Satzsystem samt der dazugehörigen Erklärungen oder als Erkenntnis aus Ursachen mit begrifflichen Mitteln zum Zweck der Formulierung allgemeiner Aussagen –, als auch den des existentiellen Vollzugs und der gesellschaftlichen Institution. (Vgl. dazu Kluxen 276–278.)

sten, nicht hintergehbaren Sätzen abzuleiten, womit sie die konsequenteste Form der Inanspruchnahme der synthetischen Methode für die Theologie vorlegt.

Um die Schrift des Nikolaus von Amiens genauer einordnen und ihre philosophische Bedeutung angemessen beurteilen zu können, sollen im folgenden, bevor das Werk selbst vorgestellt wird, einige wichtige Voraussetzungen geklärt werden. Dazu gehört zunächst die Frage, welche der Texte, die für die Ausbildung der regularen wie der axiomatischen Methode von Bedeutung sind und dem lateinischen Westen nicht oder nicht mehr bekannt sind, im Rahmen der umfassenden Textrezeption des 10. bis 13. Jahrhunderts zugänglich werden. Hierzu zählen vor allem die Euklidischen *Elemente* über die Teile hinaus, die dem Mittelalter in der Überlieferung des Boethius vertraut sind, sowie die *Zweiten Analytiken* des Aristoteles. Das artes-Verständnis des 12. Jahrhunderts ist als zweite Voraussetzung zu nennen, auf die im Zusammenhang einer Beschäftigung mit der *Ars fidei catholicae* einzugehen ist. Es schließt sich dann ein Kapitel an, in dem der engste Bezugsrahmen der Ars fidei catholicae thematisiert werden soll: die Boethius-Rezeption des 12. Jahrhunderts. Hier wird zunächst die für die Regularmethode und Axiomatik maßgebliche Schrift des Boethius *De hebdomadibus* vorgestellt, sodann soll auf die Euklidischen *Elemente* eingegangen werden, auf die Boethius sich indirekt bezieht und die für die *Ars* entscheidende Vorbildfunktion haben werden. Im Anschluß daran wird die Boethius-Rezeption selbst, in Gestalt der Kommentierungen des *De-hebdomadibus*-Textes durch Thierry von Chartres, Gilbert von Poitiers und Clarembaldus von Arras, vorgestellt. Versteht man das Werk des Nikolaus von Amiens als einen Versuch, das methodologische Programm dieser Kommentarschriften umzusetzen, so erweist es sich als notwendig, um diese Umsetzung einordnen und qualifizieren zu können, auch andere Ansätze in den Blick zu nehmen, die sich der regularen Methode oder Axiomatik bedienen. Dies soll im Anschluß an die Darstellung der Boethius-Rezeption geschehen. Eigens wird dabei auf die *Regulae caelestis iuris* des Alanus de Insulis einzugehen sein, der mit diesem Werk einen der *Ars* ebenbürtigen, allerdings ganz anders gearteten Versuch unternimmt, die Theologie als Regelwerk zu konstruieren. Nach diesen Ausführungen ist dann der Punkt erreicht, an dem die *Ars fidei catholicae* des Nikolaus von Amiens und die kleine Schrift *Potentia est vis* selbst zum Gegenstand der Untersuchung gemacht werden können. Den Schluß bilden einige Überlegungen zum weiteren Gang der Beschäftigung mit dem Problem der Regularmethode und Axiomatik im nachfolgenden 13. Jahrhundert.

2 Die Rezeption erstmalig zugänglicher Texte im lateinischen Westen des 10.–13. Jahrhunderts

Das 12. Jahrhundert ist für den lateinischen Westen eine der kulturell anregendsten Epochen des Mittelalters. Die Begegnung mit der griechischen, arabischen und hebräischen Kultur übertrifft an Umfang und Intensität alles bis dahin Bekannte. Ihr Medium ist der geschriebene Text, der wissenschaftliche vor allem. Die ersten Anfänge dieser Begegnung reichen bis in das 10. Jahrhundert zurück, in dem zunächst nur einzelne Werke in griechischer und arabischer Sprache ins Lateinische übertragen werden.[6] Sie entstammen zum Teil derselben griechischen Tradition wie die lateinische Kultur selbst, sind aber dennoch bis zu diesem Zeitpunkt dem Westen nicht mehr bekannt. Schon bald zeichnet sich ein erster Schwerpunkt des wissenschaftlichen Transfers ab. Astronomische und medizinische Schriften sind es in der Hauptsache, die zunächst dem lateinischen Westen in Übertragung zugänglich werden. In großem Umfang aber werden ab dem 12. Jahrhundert Übersetzungen angefertigt. Die literarische Stoffzufuhr wird auf allen Gebieten damaligen Wissens wirksam. Inzwischen sind es nicht nur einzelne Personen, die, zwei- oder mehrsprachig gebildet, sich um die Übertragungen kümmern, sondern ganze Schulen, die den Westen mit Übersetzungen versorgen. Spanien ist das Zentrum dieser Tätigkeit, ab der zweiten Hälfte des 12. Jahrhunderts insbesondere Toledo, ferner sind Süditalien und Sizilien zu erwähnen, und auch aus dem Nahen Osten kommen in dieser Zeit Übersetzungen nach Westeuropa.

Einige der Übersetzer sind bekannt, und man kann ihnen zum Teil auch die Werke zuweisen, die sie übertragen haben. Für die Übersetzungen aus dem Arabischen ist für das 10. Jahrhundert Gerbert von Aurillac zu nennen, für das 11. Jahrhundert Constantin der Afrikaner, der wichtige medizinische Schriften u. a. von Hippokrates und Galen ins Lateinische überträgt. Im 12. Jahrhundert zählen zu den bekannteren Übersetzern Adelard von Bath, der mathematische und astronomische Schriften aus dem Arabischen ins Lateinische überträgt, darunter die erste vollständige Fassung der Euklidischen *Elemente,* und Hermann von Carinthia, der ebenfalls eine Übertragung dieses Werkes angefertigt haben soll. Die wohl bedeutendsten Übersetzer dieser Zeit aber stammen aus Toledo. Zu ihnen gehört Dominicus Gundissalinus, der u. a. Avicennas *De anima,* Avicebrons *Fons vitae* und Alfarabis Einführung in die wissenschaftlichen Disziplinen *De scientiis* überträgt. Darüber hinaus verfaßt er unter dem Einfluß arabischer und jüdischer Schriften auch eigene philosophische Werke, so die ebenfalls in die

---

[6] Vgl. zum Folgenden Lindberg.

Wissenschaften und Teile der Philosophie einleitende Schrift *De divisione philosophiae,* die das Gedankengut von *De scientiis* ausführlich rezipiert. Der berühmteste Übersetzer dieser Schule aber ist Gerhard von Cremona. Er überträgt aus dem Arabischen den *Almagest* des Ptolemäus und andere astronomische Bücher, etwa 17 Werke der Mathematik, darunter die Euklidischen *Elemente,* ferner philosophische Texte von Alkindi, Alfarabi und Aristoteles, darunter die *Zweiten Analytiken,* sowie den *Liber de causis,* der bis ins 13. Jahrhundert als ein Werk des Aristoteles gilt, und Schriften aus den Bereichen von Medizin und Astrologie. Aber auch aus dem Griechischen werden im 12. Jahrhundert zahlreiche Werke ins Lateinische übertragen: erste Teile der *Metaphysik,* die *Ersten* und *Zweiten Analytiken,* die *Topik* und andere kleinere Schriften des Aristoteles, Euklids *Elemente,* Proklos' *Elementatio physica* – die *Elementatio theologica* wird in lateinischer Übersetzung erst im 13. Jahrhundert bekannt – sowie die Dialoge *Menon* und *Phaidon* von Platon.

Was diese hebräischen, griechischen und arabischen Texte vermitteln, sind zum einen Inhalte oder Wissensstoffe aus den unterschiedlichsten Bereichen. Zum anderen aber – und dies ist für die weitere Entwicklung von Wissenschaft und Philosophie im lateinischen Westen von gleicher Bedeutung – machen sie bekannt mit Methoden. In beiden Fällen aber kommt es in dieser Begegnung der Kulturen nicht zu einem geschlossenen Transfer von Begriffsbestimmungen, wissenschaftlichen Systemen, Untersuchungs- und Beweismethoden. Vielmehr unternimmt man eine Neuordnung von Schemata, die die lateinische Tradition mit den übrigen teilt, auf neue Beschreibungs- und Evidenzformen hin sowie eine Modifikation von Daten, Methoden und Aussagen, die in diesen Schemata organisiert sind.[7] Das, was die griechische und arabische Tradition vermitteln, wird also nicht als etwas völlig Neues oder Fremdes erfahren, sondern als das, was man selbst schon in ähnlicher Weise praktiziert und weitergegeben hat.

Dies gilt auch von der Konzeption einer axiomatisch verfahrenden Wissenschaft, wie sie von Aristoteles, orientiert an der synthetischen Methode der Geometrie, in den *Zweiten Analytiken* entwickelt wird, die zwar im 12. Jahrhundert dem lateinischen Westen erstmals seit Boethius wieder bekannt wird, deren umfängliche Rezeption aber erst im 13. Jahrhundert einsetzt. Wenngleich man zunächst diesen Text nicht als Theorie der wissenschaftlichen Demonstration liest, so versteht man ihn doch als etwas Vertrautes. Man interpretiert ihn als Darstellung einer Konzeption von Wissensvermittlung,[8] weil man aufgrund

---

[7] Vgl. McKeon 157.
[8] Vgl. Lohr (2) 137.

der Kenntnis der Schriften der zweiten Hälfte des 12. Jahrhunderts
weiß, daß ein zu vermittelnder Wissenszusammenhang einer Disziplin,
einer ars oder scientia, nach Art eines Satzgefüges konstituiert ist, also
aus Regeln (regulae) und Vorschriften (praecepta) besteht, von denen
her eine ars oder scientia ihre Bestimmtheit erhält. So definiert bereits
Isidor von Sevilla in seiner Schrift *Etymologiae:* „Ars vero dicta est, quod
artis praeceptis regulisque consistat."[9] Daß eine ars sich vor anderen
Wissensformen dadurch auszeichnet, daß sie als Inbegriff von Regeln
und Vorschriften zu bezeichnen ist, ist dann für das 12. Jahrhundert
ein geläufiges Verständnis. Es findet sich im Kommentar des Gilbert
von Poitiers zur Schrift *De hebdomadibus* des Boethius,[10] in den *Regulae*
des Alanus de Insulis[11] ebenso wie in einer anonymen Einleitung in die
Philosophie[12] sowie in den Wissenschafts- bzw. Philosophieeinführun-
gen von Dominicus Gundissalinus[13] und Hugo von St. Viktor[14] und in
anonymen Dialektikkompendien.[15] Daß es trotz dieser Übereinkunft
bei den Autoren erhebliche Unterschiede hinsichtlich der Frage gibt,
wie das Verhältnis von ars und scientia zu bestimmen ist, ob damit in
unterschiedlicher Hinsicht ein und dasselbe bezeichnet wird oder aber
ob zwei verschiedene Wissensformen mit jeweils eigenen Gegenstands-
bereichen gemeint sind, kann für die hier anstehende Fragestellung
zunächst vernachlässigt werden.

---

[9] Isidor von Sevilla, Etymologiae I,I,2, ed. W. M. Lindsay I.

[10] Ut igitur tuae satisfaciam postulationi, feci ut fieri solet in mathematica maxime disciplina, i.e. arithmetica, geometrica, musica, astronomica et in ceteris etiam pluribus
disciplinis ut in praedicamentis et analecticis, in quibus quaedam secuturis tractatibus
necessaria praeponuntur, videlicet praeposui terminos regulasque. (Gilbert von Poitiers, In De heb. 1,9, ed. Häring 189.)

[11] Omnis scientia suis nititur regulis velud propriis fundamentis..., ceterae scientiae
proprias habent regulas quibus nituntur et quasi quibusdam certis terminis claudun-
tur... (Alanus de Insulis, Regulae 1, ed. Häring 121.)

[12] ... ars est collectio praeceptorum quibus ad aliquid faciendum facilius quam per
naturam informamur. (Le tractatus Quidam de philosophia et partibus eius, ed G.
Dahan 188.)

[13] ... ars vero intrinsecus et actum dat et scientiam. Cum enim traduntur nobis praecepta pertinentia ad artem, et actum dat nobis et scientiam: artem, quoniam per eam
docemur agere secundum artem: scientiam, quia per regulas et praecepta, quae disci-
mus, scientiam operandi secundum artem nobis acquirimus. (Dominicus Gundissalinus, De divisione philosophiae, ed. L. Baur 44.)

[14] Ars dici potest scientia, quae artis praeceptis regulisque consistit, ut est in scrip-
tura... (Hugo von St. Viktor, Didascalicon II, 1, ed. Ch. H. Buttimer 23.)

[15] ... ars est collectio praeceptorum ad unum finem tendentium. Hoc est dicere: Ars
est praecepta sive regulae collectae. (Clm 14458, abgedruckt in: Grabmann (2) 17.)
Vgl. ferner Cod. 56. 20 Aug. 8° der Herzog-August-Bibliothek zu Wolfenbüttel, abgedruckt ebd. 26–31, 27.

3 Die Tradition des artes-Verständnisses

3.1 Der ars-Begriff

Der ars-Begriff des 12. Jahrhunderts läßt sich über einige Vermittlungsstationen bis zurück zur Stoa verfolgen, wo er seine entscheidende Prägung erhält, reicht aber, was seine ersten Ursprünge betrifft, bekanntlich bis in die Platonische Philosophie zurück.[16] Zu den zentralen Bezugstexten bei Platon gehört der Dialog *Phaidros,* in dem Sokrates mit Phaidros u. a. darüber disputiert, was die Rhetorik als τέχνη kennzeichne.[17] Rhetorik, so Sokrates, sei τέχνη genau dann, wenn sie wie die Heilkunst des Hippokrates eine μέθοδος ausweisen könne, d. h. eine angemessene Art und Weise der Untersuchung oder Fragestellung, oder, anders gewendet, ein geregeltes Verfahren zur Verfolgung eines bestimmten Zieles habe. Nur der kann also als einer τέχνη kundig bezeichnet werden, der über die ihr eigene μέθοδος verfügt. Für den Bereich des Redens und Disputierens vollziehe sie sich in zwei Formen, der διαίρεσις und der συναγωγή, und der, der diese beiden Prozesse beherrscht, wird von Sokrates als „Dialektiker" bezeichnet.[18] Aristoteles, der die Möglichkeit einer einzigen Methode für alle die Substanz betreffenden Untersuchungen zurückweist,[19] beschreibt ausführlich mehrere Methodenformen, darunter die Definition, die Induktion und das apodeiktische Verfahren, ohne aber den Begriff der μέθοδος auf die Apodeiktik anzuwenden. Ein Grund dafür muß in seiner Abgrenzung der ποίησις von der apodeiktischen Wissenschaft gesehen werden, wonach der ersteren Gegenstände bekanntlich zuzuweisen seien, die sich so oder anders verhalten können, der letzteren aber das vorbehalten sei, was nur so und nicht anders sein könne,[20] so daß – die enge Verbindung der Begriffe „μέθοδος" und „τέχνη" vorausgesetzt – eine Bezeichnung des wissenschaftlichen Syllogismus als Methode eine unzulängliche Verbindung verschiedener Bereiche bedeutet hätte.

Die Stoa nimmt – wie man weiß – die einzelnen Elemente der Sokratisch-Platonischen τέχνη-Bestimmung unter Wahrung des engen Zusammenhanges mit dem μέθοδος-Begriff auf, um daraus ein festes Muster zu formen, wobei sie einerseits den Ursprung der Inhalte aus dem Begreifen (κατάληψις) von Sinneseindrücken und andererseits den Nützlichkeitsaspekt hervorhebt. Insofern κατάληψις eine Verbin-

---

[16] Vgl. zum Folgenden: Gilbert 3–66; Ritter 1304–1311; Müller 1357–1371.
[17] Vgl. Platon, Phaidros 265c–278b.
[18] Vgl. ebd. 266b–c.
[19] Vgl. Aristoteles, Über die Seele I, 1 402a 14.
[20] Vgl. ders., Nikomach. Ethik VI, 3 1039b 20f.

dung bezeichnet, die mit Hilfe der Erfassung von Sinneseindrücken erfolgt und die jedes Zweifels enthoben ist, sind die Definitionen von „τέχνη", die sich bei Zenon und Lukian finden, was ihre ursprüngliche Intention betrifft als epistemenologische Aussage zu lesen. So heißt es im *Parasites* des Lukian: „Eine Kunst, wie ich einen weisen Mann sagen hörte, ist ein System des Begreifens von Sinneseindrücken miteinander, ausgeführt zu einem Ende, das im Leben nützlich ist."[21]

Als wichtigste Vermittlungsstationen des stoischen τέχνη-Begriffs für die nachfolgende Zeit und damit mehr oder minder direkt auch für das Mittelalter gelten Galen und Cicero. Bei Galen, der in seinen Methodenreflexionen Aristotelische Wissenschaftslehre im Sinne der Apodeiktik mit Hippokratischen, Platonischen und stoischen Momenten verbindet, findet man jedoch keine konsistente eigene Konzeption. Dennoch ist sein Ansatz für die nachfolgende Tradition insofern von großer Bedeutung, als er versucht, die Platonisch-stoischen Überlegungen zu μέθοδος und τέχνη aus ihrer anfänglichen Orientierung an den Bereichen von Sprache, Rede- und Argumentationskunst herauszulösen, um sie für den Bereich des Experimentellen und Naturalen fruchtbar zu machen. Von Cicero sei an dieser Stelle nur erwähnt, daß er die lateinische Übertragung der griechischen Definition des τέχνη-Begriffs vornimmt. Sie wird in der Grammatik des Diomedes aus dem 4. Jahrhundert erwähnt, die auf den Grammatikunterricht der Folgezeit großen Einfluß ausübt: „Ars est perceptionum exercitatarum constructio ad unum exitum utilem vitae pertinentium."[22]

Zwischen diesem und dem mittelalterlich-lateinischen Verständnis des ars-Begriffs aber fehlt nur noch ein Glied: Der Begriff der perceptio wird, vielleicht aufgrund eines Lese- oder Abschreibefehlers, irgendwann in der nachfolgenden Tradition in den der praeceptio verkehrt.[23] Aus der Vorstellung der Kunst als Begriffsordnung wird die der Kunst als Regelwerk. Sieht man den an Platon orientierten engen Zusammenhang der Begriffe „μέθοδος" und „τέχνη" in der stoischen Überlieferung als den entscheidenden Grund dafür an, daß die stoische τέλνη-Lehre Eingang in die methodologischen Konzepte anderer Schulen findet, so muß man als den entscheidenden zweiten Schritt für eine

---

[21] Lukian, Parasites, SVF I, 21, 6. Vgl. ferner die Definition der τέχνη, die Olympiodorus Zenon zuschreibt SVF I,21,3; ferner SVF II,30,25 (Galen).

[22] Diese Definition wird von Diomedes im Rahmen einer allgemeinen Diskussion des ars-Begriffs vorgetragen. Er selbst definiert: „Ars est rei cuiusque scientia usu vel traditione vel ratione percepta tendens ad usum aliquem vitae necessarium", in: Grammatici latini I, ed. Keil 421; sowie SVF I, 21,19.

[23] Vgl. Gilbert 12.

breite Übernahme dieser Lehre die Substitution von „perceptio" durch „praeceptio" werten.

3.2 Die Konzeption der artes liberales

Neben dem Platonisch-stoischen τέχνη-Begriff bestimmt auch die Konzeption der artes liberales, wie sie die römische Antike in Aufnahme einiger Elemente griechischer Erziehungs- und Bildungsvorstellungen ausbildet,[24] den ars-Begriff des Mittelalters. Für den Bereich der griechischen Antike des 5. und 4. vorchristlichen Jahrhunderts sind als ein Element die aus der Kritik an der traditionellen musisch-gymnastischen Erziehung der Freien erwachsenen sophistischen Bildungsvorstellungen zu nennen. Deren Ziel ist der autarke Bürger der polis, der seinen privaten Lebensbereich ebenso organisieren kann wie ein ganzes Staatswesen. Auch wenn in ihrem Konzept Ausbildung nicht im Sinn einer Spezialausbildung in Einzeldisziplinen verstanden wird, trägt doch die Setzung unterschiedlicher Schwerpunkte durch die einzelnen Sophisten – sei es die grammatisch-dialektische, die formal-rhetorische oder die mathematisch-enzyklopädische Ausrichtung der Ausbildung – zur Ausgestaltung einzelner Bildungsfächer bei.

Ein zweites Moment, das die spätere Ausbildung der Konzeption der artes liberales entscheidend mit beeinflußt, ist bekanntlich der Platonische Bildungs- und Erziehungsgedanke. Platon lehnt die sophistische Position mit der Begründung ab, daß sich mit ihr die πολιτική ἀρετή nicht vermitteln ließe. Dies sei nur möglich – so seine Überzeugung – wenn man Einsicht in das Wesen des höchsten Gutes zu gewinnen vermöge, aufgrund deren man dann eine feste sittliche Norm für das Handeln erlangen könne. Die Erkenntnis des Wahren und Guten müsse daher höchstes Ziel der Erziehung sein, die Befähigung und Hinlenkung zu dieser Erkenntnis ihre genuine Aufgabe. In diesem Zusammenhang kommt den vier mathematischen Disziplinen Arithmetik, Geometrie, Astronomie und theoretische Musik, wie Platon in seiner in der *Politeia* dargelegten Bildungskonzeption ausführt, eine propädeutische Aufgabe zu, da der Umgang mit mathematischen Größen allein einen Zugang zu den Ideen, also eine Umkehr vom Werden zum Sein und zur Wahrheit, vermitteln könne.[25] Platons Einschätzung der Bedeutung der Mathematik wird aber bereits von seinem Schüler Aristoteles nicht mehr geteilt. Bei ihm haben die mathematischen Disziplinen keine bevorzugte Stellung mehr unter den Bildungsmitteln, gleich

---

[24] Vgl. hierzu und zum Folgenden Marrou (1), (2); Illmer; Kühnert; Ballauff; Klinkenberg; Hödl, Schipperges; Koch (1); Fuchs; ferner Schrimpf (3) sowie Hadot.

[25] Platon, Der Staat VI, 525b.

bedeutend neben ihnen stehen die sprachlichen Disziplinen Dialektik und Rhetorik.

Als weitere Schritte auf dem Weg zur Entwicklung der artes liberales sind u. a. die Rehabilitierung der Rhetorik in der Neuen Akademie zu nennen, der Aufweis der Einheit der vier mathematischen Disziplinen bei Nikomachos von Gerasa. Der von ihm benutzte Begriff „τέσσαρες μέθοδοι" zur Benennung dieser Fächergesamtheit wird von Boethius später übersetzt mit „quadruvium". Die Vorstellung der Zusammengehörigkeit der drei später als Trivium bezeichneten Disziplinen Grammatik, Rhetorik und Dialektik sowie ihre Einschätzung als Propädeutik der Philosophie findet sich von der Stoa mit beeinflußt im Platonismus ab dem 2. Jahrhundert. Ob es aber bereits in hellenistischer Zeit in Griechenland, Rom oder Italien den voll ausgebildeten Zyklus der artes liberales gegeben hat, wie oft behauptet wird,[26] kann – wenn man der Untersuchung von Hadot Glauben schenken will – nicht mehr als gesichert gelten. Dies gilt dieser Arbeit zufolge auch für die These, daß die nicht mehr erhaltene Schrift Varros *Disciplinarum libri* die erste lateinische Gesamtdarstellung der artes liberales biete.[27]

In diesem Zusammenhang sei noch auf einen anderen Punkt hingewiesen, an dem Hadot eine von der einschlägigen Literatur vertretene Überzeugung der Kritik unterzieht. Gemeint ist die Interpretation, derzufolge der Vorläufer des Zyklus der artes liberales die ἐγκύκλιος παιδεία der Griechen sei, obwohl die Bildung des Begriffs „artes liberales" wahrscheinlich auf griechische Termini, wie beispielsweise „ἐλεύθεραι ἐπιστήμαι"[28] und „ἐλεύθερα μαθήματα"[29], zurückzuführen ist.[30] Aufgrund ihrer These, daß sich der Zyklus der septem artes liberales erst ab dem 4. Jahrhundert nachweisen lasse, kann Hadot natürlich keinen solchen Zusammenhang herstellen. Dennoch aber läßt sich aufgrund der Bedeutungen, die sie für den Terminus „ἐγκύκλιος παιδεία" und der mit ihm verwandten Begriffe herausarbeitet, zumindest eine gewisse Nähe hinsichtlich der mit beiden Konzeptionen verbundenen Vorstellungen konstatieren. Mit „ἐγκύκλιος παιδεία" als einem Ergebnis komplexer philosophischer Gedanken verbinde sich – so Hadot – sowohl der Gedanke der Einheit einer Gruppe von Disziplinen, wie der der Vorbereitung für die Philosophie, als auch der der Unterordnung der propädeutischen Fächer unter die Philosophie, und schließlich werde dieser Terminus auch gleichgesetzt mit dem der Künste, die auf Beweisführung gründen.

---

[26] Vgl. dazu u. a. Marrou (1), (2).
[27] Vgl. zu beiden Punkten Hadot 25–61, 156–190.
[28] Aristoteles, Politik VIII, 3 1338a 32.
[29] Plutarch, Kimon IV,5, ed. Ziegler, 336.
[30] Vgl. Hadot 263–293.

In Hadots Rekonstruktion der Entwicklung der artes kommt Augustinus für die Ausarbeitung der Einheit der Disziplinen die entscheidende Rolle zu, insofern er im zweiten Buch von *De ordine* in Übernahme Porphyrianischen Gedankengutes die Verbindung der drei Disziplinen des späteren Triviums mit den vier des von Boethius so bezeichneten Quadriviums herstellt.[31] Hier und in *De doctrina christiana* entwickelt er auch die Auffassung, daß das antike Bildungssystem für das Christentum von erheblichem Wert sei, da die Bildung in den artes liberales allererst eine wirkliche Erkenntnis der res divinae ermögliche. Aber bereits in den *Confessiones* entfernt er sich deutlich von dieser Position, um dann in den *Retractationes* seine ablehnende Haltung noch einmal zu unterstreichen.[32] Aus dieser Spätschrift geht zudem hervor, daß Augustinus selbst eine allerdings nur in Teilen vollendete Sammlung von Büchern, die die einzelnen Disziplinen der artes zu ihrem Gegenstand haben, angefertigt hat.[33] Trotz seiner späteren Kritik an der Rezeption der artes stimmt er aber grundsätzlich der Übernahme der heidnischen Bildung durch das Christentum zu, sofern sie für den Glauben von Nutzen sei,[34] wobei er, in platonisch-neuplatonischer Tradition stehend, den mathematischen Disziplinen einen besonderen Wert zumißt.[35]

Insgesamt wird man für diese Epoche verallgemeinernd festhalten können, daß das lateinische wie das griechische Christentum das rezipierte antike Bildungssystem bewußt in ihren Dienst stellen. An die Stelle der griechisch-heidnischen Philosophie tritt die christliche philosophia, d.h. die Theologie, und wie die mathematischen Disziplinen, zum Beispiel im Platonismus, als Vorbereitung für die Philosophie gelten, so werden die artes nunmehr zur Propädeutik christlicher Theologie. Man glaubt, in ihnen unter dem Gesichtspunkt der formalen Bildung einen Weg zur geistigen und göttlichen Welt und unter dem Gesichtspunkt ihres materialen Bildungswertes eine nützliche Hilfe zum Verständnis der Bibel zu haben. Für die frühe griechische Kirche vollziehen Clemens von Alexandrien[36] und Origenes[37] die Synthese von antiker Bildung und Christentum.

---

[31] Vgl. ebd. 101–136.
[32] Vgl. Augustinus, Confessiones IV, 1, 1ff., CCSL 27, 40; Retractationes I, 3, 2, CCSL 57, 19.
[33] Vgl. ders., Retractationes I, 5, 6, CCSL 57, 17.
[34] Vgl. ders., De doctrina christiana II, 50, 60, CCSL 32, 73–74.
[35] Vgl. ders, De ordine II, 47, CCSL 29, 133.
[36] Vgl. Clemens v. Alexandrien, Stromata I, 5, 30, 1, ed. Stählin 19; I, 9, 43, 1ff., ed. Stählin 28f.
[37] Vgl. Origenes, Philocalia 13, ed. Robinson 64; Epistola ad Gregorium Thaumaturgum, ed. Koetschau 41–44. Eusebius, Hist. eccl. VI, 18,3f, SC 41, 112.

Wichtige weitere Stationen für die Entwicklung der artes liberales sind das Werk *De nuptiis Philologiae et Mercurii* von Martianus Capella, ferner die *Institutiones* des Cassiodor und die Schrift Isidors von Sevilla *Etymologiarum sive originum libri XX*. Bei Cassiodor und Isidor aber zeigt sich eine zu Augustinus gegenläufige Tendenz. Unter Vernachlässigung der Disziplinen des Quadriviums wird der Schwerpunkt der artes-Bildung in den grammatisch-literarischen Bereich verlegt. Die Fächer der artes werden bei beiden auch nicht mehr wie noch bei Augustinus in gesonderten Büchern behandelt, sondern im Rahmen einer Darstellung des Wissens von den menschlichen und göttlichen Dingen.

Für das mittelalterliche ars-Verständnis aber werden weder Augustinus noch Cassiodor oder Isidor maßgeblich, sondern Martianus Capella. Sein artes-Werk verdrängt ab der Mitte des 9. Jahrhunderts im artes-Unterricht der Schulen des lateinischen Westens zunehmend die Unterrichtswerke Alkuins und die in Ergänzung dazu gelesenen Schriften Cassiodors und Isidors. [38]

Zu den artes-Autoren der christlichen Antike, die im Mittelalter rezipiert werden, gehört aber auch Boethius, der wohl die eingehendsten Kenntnisse antiken Wissens einschließlich seiner griechischen Quellen, insbesondere aber der mathematischen Fächer und der Logik, besitzt. Von seinen das Quadrivium behandelnden Schriften sind nur die *Institutio arithmetica* und die *Institutio musica* erhalten. Diese Schriften werden ebenso wie seine Euklid-Übersetzung aber erst ab dem 11. Jahrhundert in umfänglicher Weise rezipiert, da schon in der auf Boethius folgenden Zeit bald ein Verfall gerade des mathematischen Wissens einsetzt.

4 Die Boethius-Rezeption des 12. Jahrhunderts

Das ars-Verständnis des lateinischen Mittelalters, wie es sich vor der großen Übersetzungswelle griechischer, arabischer und hebräischer Texte um die Mitte des 12. Jahrhunderts darstellt, umfaßt im Begriff der artes ein geordnetes und fest umrissenes Ganzes von lehr- und lernbarem Wissen, das dem Erwerb höherer enzyklopädischer Bildung dient. Dieses Wissen – und damit ist der zweite Aspekt des Begriffs „ars" gekennzeichnet – versteht sich als ein solches, das methodisch ist, insofern es aus Regeln und Vorschriften besteht. Mit diesem zweiten Element ist ein rudimentäres Wissenschaftskonzept gegeben – „Wissenschaft" verstanden als Satzsystem samt den zugeordneten Erklärungen und Beweisen –, das es erlaubt, auch anderes, nicht im Kanon der

[38] Vgl. Schrimpf (3) 801.

sieben Fächer der artes liberales enthaltenes Wissen zu einer Disziplin zu organisieren. Solches Wissen gibt es im 11. und 12. Jahrhundert im Blick auf verschiedene Gegenstände, wobei sich drei in dieser Periode als besonders bedeutsam herauskristallisieren: Recht, Gesundheit oder Krankheit und der christliche Glaube. Was das Wissen von Gott und den damit verbundenen Gegenständen in der Überlieferung des *Alten* und *Neuen Testamentes* und der Kirchenväter betrifft, so ist es als Theologie zwar schon lange Objekt eigenen Lehrens und Lernens, jedoch lediglich zum Zweck persönlicher Frömmigkeit. Mit der Entstehung der Kathedralschulen aber entwickelt sich das Bedürfnis, theologische Inhalte als reine Wissensgehalte zu vermitteln. Um dieser Aufgabe aber effektiv nachkommen zu können, fehlt die Kenntnis ihrer Organisation oder Ordnung. Hier wird nun wissenschafts- und philosophiegeschichtlich ein Prozeß bedeutsam, der in der Zeit vor der Mitte des 12. Jahrhunderts an der Schule von Chartres und in ihrem Umfeld zu beobachten ist: die intensive Auseinandersetzung mit dem Denken des Boethius, wie es sich in seinen *Opuscula sacra* findet.

4.1 Boethius und Euklid

In seinen Traktaten *De trinitate* und *De hebdomadibus* geht Boethius im Zusammenhang mit der Behandlung theologischer Einzelfragen auch auf wissenschaftstheoretische und methodologische Themen ein. In *De hebdomadibus* geschieht dies ausgehend von der Frage nach der Art und Weise, „quo substantiae in eo, quod sint, bonae sint, cum non sint substantialia bona?"[39] Zur Lösung des Problems schlägt er einen Weg ein, von dem er in seinen methodischen Vorbemerkungen sagt, daß er der in der Mathematik und in anderen Disziplinen, gemeint sind wohl die übrigen Fächer des quadrivium, übliche sei und daß mit ihm in der Argumentation eine Kürze erreicht werden könne, die die Einsicht in die Problemlösung wenigen Befähigten vorbehalte. Diese Methode bestehe darin, Sätze aufzustellen, aus denen dann alles, was folgt, abzuleiten sei.[40] Boethius formuliert acht solcher Grundsätze und bestimmt sie in ihrem erkenntnistheoretischen Status durch einen ihnen voraufgehenden Satz. Dieser besagt, daß ein allgemeiner Gedanke (des Geistes) eine Aussage sei, die jeder, sobald er sie gehört habe, billige: „Communis animi conceptio est enuntiatio, quam quisque probat auditam."[41]

---

[39] Boethius, De heb. 2–4, ed. Stewart-Rand 38.
[40] Ut igitur in mathematica fieri solet ceterisque etiam disciplinis, praeposui terminos regulasque, quibus cuncta, quae sequuntur, efficiam. (Ebd. 14–17, ed. Stewart-Rand 38–40.)
[41] Boethius, De heb. 18–19, ed. Stewart-Rand 40. Vgl. Oeing-Hanhoff (3) 743–744.

Der Terminus „communis animi conceptio" ist die lateinische Fassung
des Begriffs „κοινή ἔννοια", mit dem in der uns überlieferten, aber
nicht ursprünglichen Fassung der Euklidischen *Elemente* ein Axiom bezeichnet wird, also ein Satz, der aus sich und durch sich bekannt ist,
oder wie Boethius in seiner Definition sagt, dem jeder, sobald er ihn
hört, zustimme.[42]
Er unterscheidet sodann zwei Arten der communis animi conceptio,
zum einen die, die allen Menschen gemeinsam, von deren Evidenz also
jeder überzeugt sei. Als Beispiel führt Boethius an: „Si duobus aequali-
bus aequalia auferas, quae relinquantur aequalia esse."[43] Zum anderen
sei auch der Satz als eine communis animi conceptio aufzufassen, der
aus einem Satz der ersten Form abgeleitet sei, dessen Evidenz nicht
mehr jedem einleuchtend sei, sondern nur dem, der um diese Ableitung wisse.[44] Boethius nennt die communes animi conceptiones auch
„termini" oder „regulae".[45] Nach Thomas von Aquin sind die Axiome
termini insofern, als in diesen die Analyse der Beweise zum Stehen
komme, die nachträgliche Auflösung eines Beweisganges ausgehend
von der Schlußfolgerung hier bei den ersten Sätzen eines Beweises ihr
Ende finde. Diese Sätze seien regulae insofern, als jeder durch sie zur
Erkenntnis der nachfolgenden Schlußfolgerungen geleitet werde.[46]
Nach Maßgabe der Boethianischen Vorgehensweise läßt sich die Theologie also in der Weise organisieren, daß man in einem ersten Schritt
(für die Disziplin eigentümliche) Grundsätze zusammenstellt, die den
methodologischen Status von Axiomen haben, um dann in einem
zweiten Schritt die theologischen Einzelprobleme in der Weise zu lösen, daß man die Antworten durch Ableitung aus den Grundsätzen
gewinnt.
Es ist dies der Weg der axiomatischen, d.h. der deduktiven Wissenschaft,[47] wie er von Aristoteles in den *Zweiten Analytiken* als Methode

---

[42] Vgl. Anm. 41. Vgl. ferner Szabó (1) 378–412; ders.: (2) 738; Kobusch; sowie Huning.
[43] Boethius De heb. 21–22, ed. Stewart-Rand 40. Boethius greift hier mit leichter Text-
abweichung einen Satz auf, den auch Aristoteles als Beispiel für ein Axiom zitiert
(Anal. Post. I 10, 76a 42) und der auch zu den κοιναὶ ἔννοιαι der Euklidischen „Elemente" gehört (Euklid, Elementa I κοιναὶ ἔννοιαι 3 [g'], ed. Heiberg 10).
[44] Alia vero est doctorum tantum, quae tamen ex talibus communibus animi conceptio-
nibus venit . . . (Boethius, De heb. 23–25, ed. Stewart-Rand 40.)
[45] Vgl. ebd. 16, ed. Stewart-Rand 40.
[46] Dicit ergo primo, quod ipse intendit primo proponere quaedam principia per se nota,
quae vocat terminos et regulas. Terminos quidem, quia in huiusmodi principiis stat
omnium demonstrationum resolutio; regulas autem, quia per eas dirigitur aliquis in
cognitionem sequentium conclusionum. (Thomas von Aquin, Expositio super Boe-
thium De heb., lect. I, 13, ed. Calcaterra 393.)
[47] Vgl. Schüling.

einer Wissenschaft im strengen Sinne beschrieben wird. Das Vorbild, an dem er sich hierbei orientiert, ist die Geometrie, wie sie eine Generation nach ihm von Euklid in seinen *Elementen* schriftlich fixiert wird. Boethius kennt Aristoteles' Wissenschaftstheorie ebenso wie die Schrift des Euklid, die er – wie erwähnt – zum Teil selbst übersetzt und die auf diese Weise dem Mittelalter überliefert wird, bis dann im Zuge der genannten ersten großen Phase der Übersetzungswelle von arabischen und griechischen Texten die *Elemente* vollständig in lateinischer Sprache zugänglich werden.

Die Euklidischen *Elemente* sind wohl die älteste erhaltene schriftliche Durchführung einer axiomatisierten Geometrie; sie basiert auf verschiedenen Zusammenstellungen mathematischer Grundlagen durch andere Mathematiker aus der Zeit vor Euklid.[48] An ihrem Anfang stehen drei Satzgruppen: Definitionen (ὅροι) Postulate (αἰτήματα) und Axiome (κοιναὶ ἔννοιαι), die die Voraussetzungen aller weiteren Sätze sind. Die drei Gruppen sind nach Szabó dialektischen Ursprungs, wobei – methodologisch gesehen – die Postulate und Axiome ursprünglich von gleicher Wertigkeit gewesen sind. Sie bezeichneten Voraussetzungen, zu denen die Zustimmung des Dialogpartners in der Schwebe gelassen wurde. Der Unterschied zwischen beiden, der die Aufteilung in Satzgruppen rechtfertigt, besteht nach der Deutung Szabós darin, „daß die Postulate gegen das eleatische Dogma über die Unmöglichkeit der Bewegung Stellung nehmen – und dadurch die Existenz der geometrischen Gebilde und ihre Konstruierbarkeit ... sichern –, während die Axiome gegen Zenons Paradoxien die empirischen Erfahrungen ... über die ‚Gleichheit' festlegen."[49] Die Gleichheitssätze werden, wie Szabó weiter ausführt,[50] ursprünglich „ἀξιώματα", d. h. Forderungen, genannt, da in der dialektisch-theoretischen Auseinandersetzung lediglich gefordert werden könne, daß diese Sätze der Untersuchung zugrunde gelegt werden. Zu ihnen gebe der Dialogpartner nicht eigens seine Zustimmung. Dieser dialektische Terminus werde aber in der Zeit nach Platon umgedeutet; man berufe sich darauf, daß die Gültigkeit solcher Sätze ebensowenig zu bezweifeln sei wie etwa die Feststellung, daß Feuer warm ist, so daß man den Sätzen den Status von Wahrheiten verleihe, die man naturgemäß für richtig hält.[51] Diese Umdeutung wird nach Szabó durch die Schriften des Aristoteles noch verstärkt, weil hier zum einen die Parodoxien des Zenon, gegen den sich die ἀξιώματα richten, als bloße σοφίσματα eingestuft werden und zum

---

[48] Vgl. zum Folgenden Szabó (1) 293–416.
[49] Ebd. 416.
[50] Vgl. ebd. 411.
[51] Vgl. ebd.

anderen die Mathematik als Disziplin begriffen wird, die von naturgemäß wahren, unanfechtbaren und einfachen Grundsätzen ausgeht.
Wenn nun in der nacheuklidischen Textüberlieferung der *Elemente* an
die Stelle des Begriffs „ἀξιώματα" der der „κοιναὶ ἔννοιαι", der Begriff
der allen Menschen gemeinsamen Vorstellungen, tritt, so lasse sich
dies damit erklären, daß dieser Terminus die Aristotelische Vorstellung weit besser zum Ausdruck bringt als der ältere Audruck. Mit dieser Substitution aber wird nach Szabó endgültig der ursprünglich dialektische Charakter der Mathematik durch die Auffassung einer mit-
tels Prinzipiengruppen arbeitenden deduktiven Disziplin abgelöst.
An die genannten drei Satzgruppen schließen sich bei Euklid die Aufgaben (προβλήματα) und die Lehrsätze (θεωρήματα) an. Die letzteren
beweisen die wesentlichen, also allgemeingültigen Eigenschaften geo-
metrischer Figuren mit Hilfe der drei Prinzipiengruppen und schon be-
wiesener theoremata, wodurch die Geometrie den Charakter eines
Gefüges von voneinander abhängigen Sätzen erhält.
Indem nun Boethius in seiner Schrift *De hebdomadibus* das Verständnis,
daß eine ars nach Regeln vorzugehen hat, mit der Vorgehensweise der
Mathematik in einen Zusammenhang bringt und beide parallelisiert,
verbindet er, soweit man weiß, als erster aristotelisch apodeiktisches
Wissenschafts- und regulares artes-Verständnis miteinander.[52] Diese
Verbindung bietet die wichtigste Grundlage dafür, daß noch vor dem
Einsetzen der umfänglichen Rezeption der *Zweiten Analytiken* im 13.
Jahrhundert das 12. Jahrhundert ein Wissenschafts- oder artes-Ver-
ständnis ausbilden kann, wonach Wissenschaft eine Einheit von mit-
einander verwobenen Sätzen darstellt, die durch Ableitung aus einer
Voraussetzung oder mehreren nicht hintergehbaren Prämissen
gewonnen werden.

4.2 Thierry von Chartres, Gilbert von Poitiers,
    Clarembaldus von Arras

Nachweisbare Beschäftigungen mit den *Opuscula sacra* finden sich ab
dem 9. Jahrhundert sowohl in Einzel- wie in Schulglossen.[53] Die Schul-
glosse bildet bis ins 13. Jahrhundert hinein die Grundlage für die Erläuterung der Boethianischen Schriften, wird aber durch geschlossene
Kommentare schließlich verdrängt. Die umfängliche Boethius-Rezeption setzt erst im 12. Jahrhundert ein. In einem Zeitraum von etwa 35
Jahren werden zwischen 1135 und 1170 die theologischen Schriften

---

[52] Zur Frage der Inanspruchnahme der regular topischen und der apodeiktischen Methode im 12. Jahrhundert vgl. Lang.
[53] Vgl. Schrimpf (1) 37–38, 57–58.

dreimal kommentiert:[54] Nach Thierry von Chartres, dessen Kommentar zu *De Hebdomadibus* nur bruchstückhaft erhalten ist, schreibt Gilbert von Poitiers wahrscheinlich zwischen 1149 und 1154 den ersten geschlossenen Kommentar.[55]

Gilbert geht von einer vielgliedrigen Wissenschafts- oder artes-Landschaft aus. Zunächst sei ein praktischer von einem spekulativen oder theoretischen Teil zu unterscheiden. Dieser wiederum umfasse eine Gruppe von naturwissenschaftlichen (naturales) oder in engerem Sinn spekulativen Disziplinen, eine zweite von ethischen und eine dritte von logischen Disziplinen. Die drei im engeren Sinne spekulativen Wissenschaften seien die scientia naturalis, die scientia mathematica und die scientia theologica.[56] Auf der Grundlage von epistemologischen und ontologischen Kriterien versucht Gilbert in seinem Kommentar zur Boethianischen Schrift *De trinitate* eine konsistente Beschreibung der drei letztgenannten Disziplinen, indem er sie im Blick auf ihr Objekt und die je eigene Weise seiner Behandlung unterscheidet.[57] Für das hier zu behandelnde Thema sind diese Textpassagen bis auf einen kleinen Teil, von dem noch zu sprechen sein wird, wenig ergiebig. Interessanter sind demgegenüber die Darlegungen im Prolog des Kommentars zu *De hebdomadibus* im Blick auf die Momente, die für die Ausbildung der regularen und der axiomatischen Methode des 12. Jahrhunderts von zentraler Bedeutung geworden sind.

Gilbert beschreibt hier zunächst den Aufstieg von der Elementarbildung bis hin zur Theologie, einen Weg, auf dem die wenigen, die für die Bildung begabt seien, von den philosophi geleitet würden, dessen Ziel die in der scientia theologica in ihrer Vollgestalt gegebene Weisheit sei. Der Weg, der zur Theologie führe, habe noch zwei andere Stationen, die scientia naturalis und die scientia mathematica. Es sei der Weg zur Wahrheit der Dinge selbst, von Gilbert als „rationum via" bezeichnet.[58] Nicht jeder, der auf diesen Weg geleitet werde, gelange

---

[54] Vgl. Schrimpf (1).

[55] Vgl. zum Folgenden: Nielsen; van Elswijk; Marenbon.

[56] Scientiae multorum sunt generum. Aliae namque sunt theoricae i.e. speculativae ... Aliae vero sunt practicae i.e. activae: ut ille quibus post inspectionem scimus operari ut medici ... Ut autem de practicis taceamus, speculativae ex his quae per ipsas inspicimus contrahunt appellationem. Et vocantur aliae quidem physicae i.e. naturales, aliae vero ethicae i.e. morales, aliae autem logicae i.e. rationales. Et ... illarum, quae uno nomine „naturales" dicuntur quae etiam usu maiore „speculativae" vocantur, tres partes sunt: una quae universali omnium nomine specialiter dicitur „naturalis", alia quae „mathematica", tertia quae „theologica". (Gilbert von Poitiers, In De trin. I, 2, 7–9, ed. Häring 79–80.)

[57] Vgl. Nielsen 90–136.

[58] Alios vero ad ipsam quadam quae vocatur „rationum via" dirigunt. Non tamen ad eam aeque omnes admittunt. Plures enim – communibus et quae omnibus notae sunt

bis hin zur letzten Stufe. Für die meisten ende der Weg bereits bei der
scientia naturalis, viele kämen bis zur scientia mathematica, und nur
wenigen sei es vorbehalten, die rationes der Theologie kennenzuler-
nen. Der Hierarchie der Disziplinen entspreche – von Gilbert in bezug
auf die scientia naturalis und die scientia theologica ausgeführt – eine
ebensolche der rationes. Sei die Naturwissenschaft der Ort für die, die
mit den allgemeinen und allen bekannten Beweisgründen vertraut
seien, so vermittle die Theologie jenseits dieser via publica eigene rationes, „theoremata" oder „axiomata" genannt. Diese seien von den
Beweisgründen der anderen Wissenschaften zu unterscheiden, und –
so fährt Gilbert fort – zudem könne man sie nicht oder nur in begrenz-
tem Umfang durch andere vergleichbare Redeweisen erklären.[59]
Mit Hilfe dieser rationes – so Gilbert – ließen sich nun schwer einseh-
bare Erkenntnisinhalte klären, wie es das Anliegen von *De hebdomadibus*
sei. Der Hinweis des Boethius, daß er sich hierzu eines Verfahrens bediene, das in der Mathematik und in den übrigen Disziplinen üblich
sei, deutet Gilbert in der Weise, daß es sich um eine sowohl im Trivium als auch im Quadrivium verwandte Methode handelt.[60] Die beiden Begriffe „regulae" und „termini" des Boethianischen Textes bezeichnen seiner Überzeugung nach dasselbe unter verschiedenem Gesichtspunkt. „Regulae" würden die rationes genannt, weil sie vieles ent-
hielten, was Beweisgründen ähnlich sei, „termini" hingegen, weil der
Beweis des Behaupteten aus ihren Prinzipien deduziert werde und es
durch letzte Annahmen auf induktivem Weg gleich Zielen begrenzt
sei.[61]

---

rationibus tamquam publica via currentes – ad imaginem eius, quae in naturalium
concretionibus quodam modo adumbratur, adducunt. Multos vero his naturalium spe-
culis assuetos ad ea, quae a concretionibus altior disciplina – quae Graece dicitur „ma-
thesis" – abstrahit, vocant . . . Paucos vero . . . in quoddam quasi diversorium extra
publicam rationalium viam et theoremata sive axiomata, hoc est speculationes sive
dignitates, disciplinalium ducunt ubi quodam quasi sinu secreti sapientiae ipsius quandam prae ceteris dignitatem illis ostendunt. (Gilbert von Poitiers, In De heb. 5–7, ed.
Häring 184.)

[59] Hanc [sapientiam] illi pauci . . . diu multumque in omni rerum genere . . . intuentes
mirantur eius rationes ab aliorum rationibus esse diversas nec, quibus explicari possint, cognatos esse sermones et, si quando proportione rationis alicuius ad eam ab aliis
contingat immo necesse sit verba transsumi, inextricabiles admodum quaestiones
praestare. (Ebd. 8, ed. Häring 184.)

[60] . . . ut fieri solet in mathematica maxime disciplina i.e. arithmetica geometria musica
astronomia et in ceteris etiam pluribus disciplinis ut in praedicamentis et analecticis . . . (Ebd. 1,9, ed. Häring 189.)

[61] Eosdem quos vocat „terminos", vocat etiam „regulas": sed regulas quidem quoniam
locali similitudine multa continent: terminos vero quoniam ex eorum principiis de-
monstratio propositorum deducitur et eorundem postremis inductionibus tamquam
finibus terminatur. (Ebd. 1,10, ed. Häring 189.)

Thierry von Chartres deutet beide Begriffe ähnlich, ohne daß jedoch aus seiner Interpretation deutlich hervorgeht, ob er beide wie Gilbert auf dieselben Grundsätze bezieht. Zudem arbeitet er im Gegensatz zu diesem den regulierenden Charakter dieser Grundsätze, der im Begriff „regulae" auch zum Ausdruck kommt, deutlicher heraus: Die Grundsätze würden „termini", d. h. „per se nota", genannt, insofern man sie nicht übersteigen dürfe und insofern mit ihnen der Zweifel beendet werden könne, sie hießen „regulae", weil man von ihnen gleichsam geleitet werde, damit man bei der Lösung der Frage vom Weg der Wahrheit nicht abweiche.[62]

Die Definition der communis animi conceptio, die Boethius vorlegt und an die sich die acht Regeln anschließen, mit denen die eigentliche Fragestellung beantwortet wird, wird von Gilbert im Gegensatz zu Thierry, der die sich anschließende Aussage als die erste Regel faßt,[63] bereits als Regel interpretiert, als die Regel aller im Text noch folgenden Regeln, ja, als die Regel jedwedes (wissenschaftlichen) Faches, die Regel aller generellen Sätze, und sie sei selbst eine Beweisstelle.[64] Es werden sodann von Gilbert die unterschiedlichsten Disziplinen und die Bezeichnungen der ihnen eigentümlichen Regeln angeführt. Sie alle, die communes loci der Rhetorik, die theoremata der Geometrie,[65] die axiomata der Musik, die generales sententiae der Ethik und der Philosophie, besonders aber die propositiones der Dialektik, ebenso die gesetzten Regeln der Grammatik, seien in der Universalität dieser ersten Regel enthalten.[66]

Auffallend bei dieser Aufzählung ist zum einen, daß Gilbert im Vergleich zu seinen bisherigen Ausführungen die Methode, mit Beweis-

---

[62] Terminos i.e. per se nota quae non licet transgredi et quibus dubitatio poterit terminari et regulas quibus scilicet regamur ne quaestionem solvendo a veritatis tramite deviemus. (Thierry von Chartres, In De heb. 6, ed. Häring 120.)

[63] Diversum est et cetera. Ponit per se nota. Et est hoc primum: diversa sunt entitas et id quod entitate participat. (Ebd. 8, ed. Häring 120–121.)

[64] Prima quam ponit regula omnium quae sequuntur immo omnium, cuiuscumque facultatis sint, generalium sententiarum – quas etiam hoc loco „conceptiones" vocat – est locus. (Gilbert von Poitiers, In De heb. 1, 12, ed. Häring 189.)

[65] Obwohl der Begriff „theorema" nicht der eigentliche terminus technicus für ein Axiom, sondern für einen aus Prinzipien abgeleiteten Satz ist, findet sich beispielsweise in der Hermann von Carinthia zugeschriebenen Euklid-Übersetzung eine solche Gleichsetzung. (Vgl. The Translations of the Elements of Euclid from the Arabic into Latin by Hermann of Carinthia [?], ed. H. L. L. Busard 11; Clagett 39.) Von daher kann man Gilberts Gebrauch des Begriffs „theorema" als zutreffend bezeichnen.

[66] Ut enim de positivis grammaticae facultatis regulis taceamus, certum est quod et qui vocantur „communes loci" rethorum et „maximae propositiones" dialecticorum et „theoremata" geometrarum et „axiomata" musicorum et „generales sententiae" ethicorum seu philosophorum continentur universalitate huius regulae ... (Gilbert von Poitiers, In De heb. 1, 12, ed Häring 189–190.)

gründen zu arbeiten, in mehr Disziplinen angewandt sieht, als die artes liberales umfassen. Zudem macht die Verbindung von „locus" mit der ersten der Boethianischen Regeln sowie die Subsumtion der regulae der von ihm angeführten Disziplinen unter diese deutlich, daß Gilbert sich wahrscheinlich nicht genügend bewußt ist, daß er hier – um es aristotelisch auszudrücken – topische und apodeiktische Verfahrensweise miteinander vermischt. Dennoch zeigt der nähere Kontext seiner Interpretation des Begriffs „communis animi conceptio", daß er wie auch Thierry von Chartres vor ihm in der Schrift *De hebdomadibus* eine streng deduktive Beweisführung vorliegen sieht:[67] Man bezeichne die conceptio nicht als die eines einzelnen, sondern vieler, da die, welche die Beweisstelle unendlicher einzelner zugegebener oder bezweifelter Sätze sei, den meisten übereinstimmend entweder von Natur aus oder durch die Logik so sehr bekannt sei, daß es des Zeugnisses eines Beweises nicht bedürfe, wenn sie, um etwas zu bestätigen, angeführt werden müsse. Von daher werde sie auch „unbeweisbar" oder „durch sich bekannt" genannt. Gilbert führt sodann die Boethianische Unterscheidung zweier Arten von Axiomen an. Axiome der ersten Gruppe seien – so führt er aus – naturhaft bekannt, insofern jeder auch unabhängig von der Disziplin der Logik sie als wahr erkenne. Die der zweiten Gruppe seien solche, die abgeleitet aus der ersten nur den Gelehrten als Axiome bekannt seien.

Wie die Ausführungen Gilberts in seinem Kommentar zu *De hebdomadibus* zeigen, ist der Kontext, in dem rationes, regulae oder loci – wie immer Gilbert sie auch benennt – zur Anwendung kommen, die quaestio; das belegt auch sein Kommentar zu *De trinitate*.[68] Die quaestio, so wird hier formuliert, habe ihren Grund in einer (gleichzeitigen) Bejahung und einer bestimmten kontradiktorischen Verneinung ein

---

[67] Non unius tantum sed „communis animi" i.e. multorum animorum vocat eam de qua nunc loquitur conceptionem quoniam, scilicet quae infinitarum singularium concessarum seu dubiarum localis est ratio, plurimis vel natura vel opifice logica aedo notam esse convenit ut, cum ad aliquid confirmandum adducetur, testimonio probationis non egeat. Unde et alibi „indemonstrabilis" et „per se nota" dicitur . . . (Ebd. 1,13–14, ed. Häring 190.)
In der Tradition der *De-hebdomadibus*-Kommentierung zeigt sich im übrigen bei der Interpretation des Begriffs „communis animi conceptio" eine interessante Verschiebung der Lesart. Während Thierry wie Boethius selbst das Attribut „communis" entsprechend dem griechischen Vorbild auf „conceptio" bezieht, verstehen Gilbert und dann auch Clarembaldus von Arras dieses Wort als attributive Ergänzung zu „animi". (Vgl. Boethius, De heb. 24–25, ed. Stewart-Rand 40; Thierry von Chartres, In De heb. 7, ed. Häring 120; Gilbert von Poitiers, In De heb. 13–17, ed. Häring 190–191; Clarembaldus von Arras, In De heb. 16, ed. Häring 198.)

[68] Vgl. zum Folgenden: Gilbert von Poitiers, In De trin. I,3,3–10 prol., ed. Häring 63–65.

und desselben Sachverhaltes. Die in diesem Widerspruch liegende Un-
klarheit könne nach Gilbert auf drei verschiedene Ursachen zurückgeführt werden: auf die unterschiedliche Reichweite der Referenz der
verwendeten Begriffe, auf die Beschaffenheit der Sprache – gemeint
sein könnte das Problem des figurativen Sprachgebrauchs –[69] und auf
die Verschiedenheit der Gattungen der verschiedenen Beweisgründe.[70]
An der dritten Möglichkeit ist Gilbert besonders interessiert, da in den
Opuscula sacra, die Gilbert als Quaestionenliteratur versteht, seiner
Überzeugung nach die behandelten Fragen durch die Verschiedenheit
der Gattungen der verschiedenen Beweisgründe veranlaßt sind.

Um ein philosophisches oder theologisches Problem in Form einer
Frage beantworten zu können, sei es daher notwendig, die richtigen
Vernunftgründe zu kennen, die als Regeln im Lösungsverfahren zur
Anwendung kommen müssen. Zur Kenntnis dieser Vernunftgründe
gehöre es aber nicht nur, daß man mit den rationes ihrem Inhalt nach
vertraut sei. Darüber hinaus sei es ebenso notwendig, sie nach ihrer
Zugehörigkeit zu den verschiedenen Disziplinen unterscheiden zu können, also zu wissen, ob es sich um Vernunftgründe handele, die nur
einer Disziplin (rationes propriae) oder mehreren Wissenschaften (rationes communes) eigen seien.[71] Nur aufgrund dieser Kenntnis ließe
sich entscheiden, welche der vorgebrachten Argumente zur Lösung
der Fragen zutreffend seien.

Von besonderer Wichtigkeit für die in den Opuscula sacra behandelten
quaestiones ist nach Gilbert die Unterscheidung zwischen den rationes
propriae der Naturwissenschaft und denen der Theologie. Unkenntnis
darüber führe nicht nur zu intellektuellem Irrtum, sondern auch zur
Häresie.[72] Hier sei es – so Gilbert – gerade die Aufgabe der Philoso-

---

[69] Vgl. Marenbon 333.

[70] Hic commemorandum est quod ex affirmatione et eius contradictoria negatione
quaestio constat . . . Cuius vero utraque pars argumenta veritatis habere videtur, quaestio est. Hoc autem tribus modis contingere potest: videlicet aut sophistica univoco-
rum aequivocorum modorum partium temporum atque relationum multiplicitate aut
orandi qualitate aut rationum, ex quibus sermo fit, genere. (Gilbert von Poitiers, In
De trin. I, 3–4 prol., ed Häring 63; sowie ebd. I,3,6 prol., ed. Häring 63.)

[71] Omnium, quae rebus percipiendis suppeditant, rationum aliae communes sunt multorum generum, aliae proprie aliquorum. (Ebd. I,2,1 prol., ed. Häring 57. Zur Frage, ob
diese Unterscheidung bei Gilbert auf Aristoteles zurückzuführen ist, vgl. Marenbon
334 Anm. 27.)

[72] Verdeutlicht sei dies an folgendem Beispiel: In seiner Schrift De trinitate will Boethius,
so die Interpretation Gilberts, entsprechend einer ratio propria der Theologie aus
dem Satz „Der Vater ist Gott, der Sohn ist Gott und der Heilige Geist ist Gott" ableiten, daß Vater, Sohn und Heiliger Geist ein Gott und nicht drei Götter sind. Diejeni-
gen nun, die diese Ableitung unzulässigerweise mit Hilfe einer ratio propria der Naturwissenschaft ableiteten, entdeckten einen Widerspruch zwischen Glaube und Wis-

phie, zwischen den rationes communes und den rationes propriae der Disziplinen zu unterscheiden.[73]

Bei allen formalen Gemeinsamkeiten, die die rationes der einzelnen artes aufweisen, kennt Gilbert doch einen entscheidenden Unterschied, der die rationes der Theologie von denen aller anderen Wissenschaften abgrenzt.[74] Das Regelwerk der Naturwissenschaft ist nach seiner Überzeugung nämlich weder notwendig noch universal, weil zum einen die Natur als das zu verstehen sei, was sich nur aufgrund angeborener Gewohnheit verhalte, und zum anderen ihr das Regelwerk nicht vorhergehe, sondern von ihr abgeleitet sei. Demgegenüber sei das Wissen, das sich primär nicht auf die geschaffene Welt, sondern auf Gott beziehe, notwendig, weil der göttliche Wille, dem der Mensch begegne und der in Form menschlicher Erfahrung die Grundlage des theologischen Wissens werde, unveränderlich sei.

Ausgangspunkt aller theologischen Regeln ist für Gilbert der Glaube: Man glaube an das, was Gegenstand der Theologie ist, nicht als Erkennender, sondern erkenne als Glaubender.[75] In den Naturwissenschaften aber folge der Glaube der ratio. Im Blick auf alle Gegenstände des Wissens – seien sie theologischer oder nichttheologischer Natur – komme der Glaube, wie es im Kommentar zu *De trinitate* heißt, jeder

sen, den sie dann – so Gilbert – möglicherweise dadurch zu überwinden suchten, daß sie den tradierten Glauben verzerrten. Sie würden nämlich erklären, daß es nicht zutreffend sei zu sagen, wenn Plato ein Mensch, Aristoteles ein Mensch und Cicero ein Mensch sei, alle drei ein Mensch seien. Für denjenigen aber, der zwischen den rationes propriae der verschiedenen Disziplinen zu unterscheiden wisse, sei ein solcher Widerspruch nur ein scheinbarer. (Inquiunt enim fideles: Pater est deus, filius est deus, spiritus sanctus est deus. Atque inferunt: Igitur pater et filius et spiritus sanctus sunt unus singularitate essentiae deus non tres dii i.e. sunt unum omnium esse, non tria. Et attende quod non secundum naturalium sed secundum theologicorum propriam rationem hoc inferunt. Nam secundum naturalium rationem – quae est: numero diversorum diversas numero esse naturas – contra evenit ut: „Plato est homo, Cicero est homo, Aristoteles est homo, igitur Plato et Cicero et Aristoteles sunt tres homines non unus singularitate subsistentiae homo." – Gilbert von Poitiers, In De trin. I,1 10–11, ed. Häring 72.)

[73] Non enim omnia neque nulla, quae in naturalibus aut mathematicis intelliguntur, in theologicis accipienda sentimus: ideoque subtilissimae atque exercitatissimae philosophiae esse communes utrisque et proprias singulorum rationes notare. (Ders., In Contra Eut. 4, 36, ed. Häring 294.)

[74] Et quoniam in temporalibus nihil est quod mutabilitati non sit obnoxium, tota illorum consuetudini accommodata necessitas nutat . . . In theologicis autem, ubi est veri nominis atque absoluta necessitas . . . (Ders., In De trin. II, 1, 7, 9, ed. Häring 164.) Vgl. dazu ferner die Texte bei Nielsen 136–137 Anm. 82, 87.

[75] In theologicis autem . . . non ratio fidem sed fides praevenit rationem. In his enim non cognoscentes credimus sed credentes cognoscimus. (Gilbert von Poitiers, In De trin. II,1,9, ed. Häring 164.)

ratio jedoch insofern zuvor, als er der Anfang aller zu erkennenden Dinge sei, das gewisseste Fundament auch alles Veränderlichen.[76] Clarembaldus von Arras beginnt seinen Kommentar zu *De hebdomadibus,* der etwa zwanzig Jahre jünger ist als die Gilbertsche Schrift, mit einer Unterscheidung von dialektischer, sophistischer und demonstrativer Wissenschaft. Alle drei Disziplinen erörterten allgemeine Behauptungen entweder mit Hilfe von Probablem oder Notwendigem, wie im Fall dialektischer Vorhergehensweise, oder wie bei der sophistischen Methode aufgrund von Syllogismen, die aus probablen oder scheinbar probablen Sätzen bestünden. Demgegenüber gehe die demonstrative Wissenschaft[77] in der Weise vor, daß sie aus Wahrem und Erstem schließe oder aus solchem, das seine Notwendigkeit aus der Notwendigkeit von Erstem und Wahrem beziehe. Die Ersten oder Wahren aber seien Prinzipien oder Sätze per se nota, die eines Beweises nicht bedürftig seien. Diese Überlegungen, die Clarembaldus ausdrücklich mit Aristoteles in Verbindung bringt, verknüpft er sodann mit der Boethianischen Unterscheidung der communes animi conceptiones, die Clarembaldus selbst als „communis animi conceptiones" bezeichnet. Er grenzt wie dieser solche, die von jedermann als per se notae anerkannt würden, von solchen ab, die als per se notae nur von wenigen eingesehen würden, eine Unterscheidung, die er an anderer Stelle mit den Begriffen „absolute per se notum" und „notum secundum quid" aufnimmt.[78] Beide Formen der communis animi conceptiones bezeichnet er auch als „regulae naturales" oder „conceptiones naturales" oder als „ebdomades" und damit im Gegensatz zu Gilberts Boethius-Interpretation, der diesen Begriff auf die von Boethius zu lösende Frage bezieht. „Ebdomas" wird von Clarembaldus etymologisch als griechische Fassung des lateinischen „concipio in anima" wiedergegeben.

[76] Nam in naturalibus et in aliis omnem rationem spiritualium fides antevenit ut fide magis, prius quam ratione, omnia iudicent. Ac per hoc non modo theologicarum sed etiam omnium rerum intelligendarum catholica fides recte dicitur esse „exordium" sive nulla incertitudine nutans sed etiam de rebus mutabilibus certissimum atque firmissimum fundamentum. (Ebd. II,1,11, ed. Häring 165.)

[77] Demonstrativa autem scientia est quae ex veris et primis sillogizat aut ex talibus quae ex necessitate verorum et primorum suae fidei trahunt necessitatem. Prima autem et vera per se nota illa sunt quae aliena probatione non egent. De cuiusmodi Aristoteles: „Non oportere, inquit, in disciplinalibus principiis inquirere propter quid sed unumquodque principiorum ipsum esse fidem." Ex talibus autem per se notis et primis posteriora quaedam per se nota fiunt ut, cum ex eis suae fidei traxerint necessitatem, verorum et primorum vires habeant sufficiantque eorum gerendis officiis . . . Duo autem omnium sunt genera per se notorum: unum quidem scolasticum et commune; aliud vero doctissimorum tantum quod pene intellectibilitatis requirit capacitatem. (Clarembaldus von Arras, In De heb. I,2–3, ed. Häring 189–190.)

[78] Duo proponit per se notorum genera: unum quidem absolute per se notorum, alterum vero secundum quid. (Ebd., III, 16, ed. Häring 198.)

Die Methode, deren sich Boethius bediene, sei, wie Boethius selbst sie auch beschreibe, die der Mathematik, die – so Clarembaldus – ihre Beweise mit Hilfe an sich bekannter communis animi conceptiones durchführe. Und an anderer Stelle des Kommentars heißt es dazu: Es sei die Gewohnheit der Mathematiker, wenn sie eine zu beweisende Erkenntnis aufstellten, elementa disciplinalia, lehrbare Anfangsgründe, entsprechend der ars anzuführen, aus denen dann die notwendigen Schlußfolgerungen für den aufgestellten Satz abgeleitet würden.[79] Wie Gilbert entfaltet Clarembaldus in diesem Zusammenhang das Diktum des Boethius, wonach diese Vorgehensweise auch in anderen Disziplinen als der Mathematik üblich sei. In Abweichung zur Kommentierung Gilberts, ja, sogar im Gegensatz zu Boethius selbst stellt Clarembaldus zwischen den Regeln, die zur Lösung der Frage angeführt werden und den Status von communis animi conceptiones secundum quid haben, einen wenn auch nicht streng durchgehaltenen Ableitungszusammenhang her, dergestalt, daß eine Regel aus einer anderen ihr voraufgehenden gefolgert wird. Auf diese Weise stellt sich das gesamte Regelwerk als die Entfaltung eines ersten Satzes dar.

Vergleicht man abschließend die drei Boethius-Kommentierungen in Hinblick auf die Momente miteinander, die für die Regularmethode und Axiomatik des 12. Jahrhunderts von zentraler Bedeutung geworden sind, so zeigt sich unter formalem Gesichtspunkt, daß Thierry von Chartres mit seiner Textauffassung der Boethianischen Vorlage wohl am nächsten kommt, wie dies sowohl im Hinblick auf die Zuordnung der Definition der communis animi conceptio zu den sich anschließenden acht Grundsätzen als auch im Verständnis des Begriffs „communis animi conceptio" selbst deutlich wird. In inhaltlicher Hinsicht ist festzuhalten, daß alle drei Kommentatoren die Methode, derer sich Boethius in *De hebdomadibus* bedienen will, als streng deduktive, d. h. als axiomatische, herausarbeiten, die ihren genuinen Ort im Kontext der quaestio hat. Diesen apodeiktischen Charakter stellt Clarembaldus am deutlichsten heraus, der nicht nur zwischen den verschiedenen Methoden des Argumentierens zu unterscheiden weiß, sondern der zudem eindeutig auch den Bezug zu Aristoteles und dessen Wissenschaftsund Methodenbegriff herstellt. Bei Gilbert hingegen gewinnt man den Eindruck, daß ein derartiges differenziertes Methodenbewußtsein nicht vorhanden ist, da er topische und apodeiktische Momente oft miteinander verbindet.[80] Dennoch wird man festhalten können, daß er

---

[79] Mathematicorum consuetudo est, cum probandam quamlibet speculationem proponunt, elementa disciplinalia secundum artem propositam inducere ex quibus necessarias ad propositum conclusiones efficiant. (Ebd. II, 14, ed. Häring 196.)

[80] Zum Problem topischer und/oder apodeiktischer Methodik im Denken Gilberts vgl. van Elswijk 207 ff.

im Blick auf die Vorgehensweise der Theologie, da ihr Wissen nach
seiner Auffassung den Charakter der Notwendigkeit besitzt, die deduktive Methode als die ihr eigentümliche bewertet.

An den drei Kommentierungen läßt sich nicht nur die Auseinandersetzung einiger Philosophen oder Theologen des 12. Jahrhunderts mit der
deduktiven Methode ablesen. Man kann an ihnen auch ein zunehmendes epistemologisches und methodologisches Interesse wahrnehmen.
Versucht man zwischen dieser Beobachtung und dem Faktum der
Boethius-Rezeption des 12. Jahrhunderts einen Zusammenhang herzu-
stellen, so kann man entweder die Boethius-Kommentierung als Folge
dieses wachsenden Interesses an Methodenfragen interpretieren oder
aber umgekehrt dieses als Konsequenz der Beschäftigung mit den
Opuscula sacra einstufen. Beide Seiten dieser Alternative scheinen zunächst gleichermaßen plausibel zu sein. Dennoch spricht gerade die
skizzierte Entwicklung des Konzepts der artes liberales im Raum des
Christentums dafür, daß die Boethius-Rezeption nicht Grund, sondern
Folge eines ursprünglichen Gespürs für die Relevanz epistemologischer
und methodologischer Fragen ist, daß also – wie Kluxen ausgeführt
hat – wissenschaftliche Rationalität als Prinzip im Kontext christlichen
Erbes enthalten ist.[81]

Die Beschäftigung mit Fragen der Wissenschaft und Methode findet
man im 12. Jahrhundert nicht nur bei den hier genannten Autoren.
Vielmehr zeigt sie sich in den verschiedensten Gestalten, in der Abfassung von Wissenschaftseinleitungen und -überblicken ebenso wie in
der Formulierung methodologischer Prologe zu einzelwissenschaftli-
chen Werken. Ziel gerade der Wissenschaftsüberblicke ist es, Gattung,
Gegenstand und Methode einzelner oder aller lehr- und lernbaren Disziplinen zu bestimmen, um auf diese Weise einen Überblick über die
Landschaft der artes oder der scientiae zu geben und zugleich auch
ihre Architektonik aufzudecken. Gerade dieses Anliegen erweist sich in
einer Zeit zunehmenden Wissens als besonders dringlich. Auf der
Grundlage Boethianischer Methodenlehre gelingt es nun in den *De-
hebdomadibus*-Kommentierungen, eine Organisationsstruktur auch für
theologisches Wissen aufzuzeigen, Theologie als ars oder scientia mit
regulärem Vorgehen zu erweisen, allerdings nicht gleichrangig allen
anderen Disziplinen, sondern sie vielmehr übertreffend. Wenngleich
sich Gilbert und Clarembaldus in dieser Auffassung einig sind, so differieren sie doch hinsichtlich der Einschätzung der Regularmethode.
Für Gilbert stellt sie die Vorgehensweise aller Disziplinen dar, womit
er die Position eines Methodenmonismus bezieht, für Clarembaldus
nur eine, wenn auch ausgezeichnete. Darüber hinaus unterscheiden sie

---

[81] Vgl. Kluxen 288–289.

sich auch darin, daß bei Clarembaldus die eindeutig boethianische Prägung seines Kommentars, die er mit den beiden anderen Interpretationen zu *De hebdomadibus* teilt, schon deutlich durch eine Rezeption originär Aristotelischen Gedankengutes akzentuiert ist.

Wie weit die neu entdeckten Teile des *Organon* in dem Zeitraum, in dem die drei Boethius-Kommentare entstehen, verbreitet sind und wer sie kennt, ist im einzelnen jedoch nur schwer nachzuweisen.[82] Man weiß wohl, daß vor 1159 eine Übersetzung der *Zweiten Analytiken* aus dem Griechischen von einem nicht näher bekannten Johannes angefertigt wird und daß zwischen 1125 und 1150 Jakob von Venedig ebenfalls eine Übertragung aus dem Griechischen vornimmt, die aufgrund der heute bekannten Zahl der Abschriften eine weit größere Verbreitung als die des Johannes gehabt haben muß. Vor 1187 erfolgt dann, wie erwähnt, durch Gerhard von Cremona die Übersetzung der *Zweiten Analytiken* aus dem Arabischen und zur gleichen Zeit auch seine Übertragung des *Liber de causis,* von der 202 Abschriften bekannt sind. Die Forschungen der letzten Jahrzehnte zu diesem Thema haben gezeigt, daß die versio communis, also die im Mittelalter allgemein in Anspruch genommene Übersetzung der *Zweiten Analytiken,* auf Jakob von Venedig zurückgeht. Was die Benutzung der Aristotelischen Schrift betrifft, so kennt Thierry von Chartres, wie sich anhand des Inhaltes des *Heptateuchon* feststellen läßt, das gesamte *Organon,* mit Ausnahme dieser Schrift.[83] Ihr Fehlen mag darin seinen Grund haben, daß man sie als schwer verständlich empfindet, wie Johannes von Salisbury in seinem um 1159 vollendeten Werk *Metalogicus* bemerkt und dies teils auf inhaltliche und sprachliche Momente, teils auf die schlechte Textüberlieferung und auf die fehlerhafte Übersetzung zurückführt.[84] Man wird also angesichts dieses Befundes damit rechnen müssen, daß, obwohl die *Zweiten Analytiken* in dem hier behandelten Zeitraum bereits verbreitet sind, sie dennoch nur begrenzt rezipiert werden, daß also das Vorgehen der artes oder scientiae nur vermittelt über Boethius im Sinne der Aristotelischen Methodenlehre verstanden wird. Diese Einschätzung läßt sich im übrigen auch durch die Zitationsweise des Alanus de Insulis in den *Regulae* belegen, deren Abfassungs-

---

[82] Vgl. dazu Dod, Grabmann (3).

[83] Vgl. Clerval 222–223 (Überblick über die Texte des *Heptateuchon*), 244–245.

[84] . . . liber, quo demonstrativa traditur disciplina, ceteris longe turbatior est, et transpositione sermonum, traiectione litterarum, desuetudine exemplorum, quae a diversis disciplinis mutuata sunt. Et postremo quod non attingit auctorem, adeo scriptorum depravatus est vitio, ut fere quot capita, tot obstacula habeat. Et bene quidem ubi non sunt obstacula capitibus plura. Unde a plerisque, in interpretem difficultatis culpa refunditur, asserentibus, librum ad nos non recte translatum pervenisse. (Johannes von Salisbury, Metalogicus IV, 6, ed. J. A. Giles V 162–163.)

zeit nach der des Kommentars des Clarembaldus angesetzt wird: Obwohl dieser Text das Thema Wissenschaft und Methode an vielen Stellen behandelt, findet sich nur an einer Stelle (regula 64) ein Verweis
auf die *Zweiten Analytiken*. Zudem zitiert Alanus Aristoteles nur selten
und wenn, dann aus Texten der *Logica vetus*.

5 Versuche der Umsetzung des methodologischen Programms der Boethius-Kommentare

Zu den Kommentaren des Thierry von Chartres, Gilbert von Poitiers
und Clarembaldus von Arras zu *De hebdomadibus* kann man eine
Gruppe von Schriften in Beziehung setzen, die man als verschiedene
Versuche auffassen kann, das methodologische Programm dieser Boe-
thius-Interpretationen umzusetzen. Zum einen sind die sogenannte
Zwettler Summe des Gilbert-Schülers Petrus von Wien oder Poitiers und
das Sentenzenwerk des Petrus von Poitiers zu nennen. Beide verwenden die Methode im Kontext von quaestiones, also in der Weise des
Boethius und so, wie es in den Kommentierungen ausdrücklich formuliert ist. Beide stellen regulae auf, die dann zur Lösung der Frage verwendet werden. Eine zweite Variante regularer Vorgehensweise findet
sich im 13. Jahrhundert, so beispielsweise in den *Theoremata de esse et
essentia* und den *Theoremata de corpore Christi* des Aegidius Romanus und
in der Schrift *De intelligentiis* des Adam Pulchrae Mulieris. Hier fehlt
die Einbindung der regulae in einen Fragezusammenhang. Statt dessen
wird ein (einziger) Gegenstand in einer Reihe von regulae entfaltet,
denen sich jeweils eine Erklärung oder ein Beweis anschließt. Dieser
Form regularer Vorgehensweise sind auch die dem Johannes Duns
Scotus zugeschriebenen *Theoremata* zuzuordnen, in denen jedoch theoremata zu unterschiedlichen Gegenständen zusammengestellt sind.
Ob man den *Liber XXIV philosophorum* mit in den hier skizzierten Zusammenhang einbeziehen kann, hängt wesentlich davon ab, wie man
die Ergebnisse der jüngst von Hudry im Rahmen einer Neuedition dieser Schrift vorgelegten Untersuchung bewertet.[85] Hudry versucht entgegen der bisherigen Einschätzung[86] dieses Textes nachzuweisen, daß
der Ursprung des *Liber* nicht auf das 12. Jahrhundert zu datieren ist,
sondern daß es sich um eine Anfang des 13. Jahrhunderts angelegte
Zusammenstellung von Stücken aus lateinischen Übersetzungen des
verloren gegangenen Textes *De philosophia* von Aristoteles handelt.

---

[85] Vgl. Hudry 6–81.
[86] Liber XXIV philosophorum, ed. Baeumker; d'Alverny (1), (5); Chenu (1).

Mit den genannten beiden Möglichkeiten regularer Vorgehensweise sind die Möglichkeiten der Methode jedoch noch nicht erschöpfend genutzt. In beiden Fällen nämlich wird sie nur partikular verwendet, sei es als Mittel unter anderem zur Lösung von Problemen, sei es zur Entfaltung eines Aspekts oder eines Teilgegenstandes einer Disziplin. Die Radikalisierung und damit die erschöpfende Ausnutzung der regularen Methode bestünde aber darin, sie als ausschließliche Vorgehensweise und bezogen auf eine gesamte Disziplin in Anspruch zu nehmen. Dieser Schritt wird im 12. Jahrhundert auf zweierlei Weise vollzogen, zum einen von Alanus de Insulis in den *Regulae caelestis iuris,* zum anderen von Nikolaus von Amiens in der *Ars fidei catholicae.*

5.1 Alanus de Insulis, *Regulae caelestis iuris*

Die *Regulae caelestis iuris* des Alanus de Insulis[87] knüpfen in ihrem Prolog in vielen Punkten an Gilberts *De-hebdomadibus*-Kommentar an und weisen wohl nicht zuletzt deshalb auch dessen methodologische Unklarheiten auf. Alanus eröffnet die Einleitung mit dem Hinweis darauf, daß jede Wissenschaft sich auf Regeln gleich auf Fundamente stütze.[88] Es folgt im Anschluß nach Gilbertschem Vorbild eine Aufzählung von Disziplinen samt den Namen der ihnen eignen regulae, wobei diese Bezeichnungen teilweise etymologisch erläutert werden.

Entsprechend der Eigenart ihrer Regeln lassen sich diese Wissenschaften in drei Gruppen einteilen, eine Gliederung, die der Alanische Text selbst nahelegt. Zunächst ist die Grammatik zu nennen, die vom Willen und vom Wohlgefallen des Menschen abhängig sei und deren Regeln im Vergleich mit den anderen die einzigen seien, deren Aufstellung dem Menschen überlassen sei.[89] Den beiden anderen Wissenschaftsgruppen käme es demgegenüber zu, sich nicht nur auf feste regulae zu stützen, sondern auch von sicheren termini umschlossen zu sein.[90] Ob „termini" und „regulae" sich wie bei Boethius und Gilbert auf denselben Sachverhalt beziehen oder nicht, läßt sich aus dem Textzusammenhang nicht erschließen. Zur ersten der beiden verbleibenden Disziplinengruppe gehörten die restlichen sechs Fächer der artes liberales, die Dialektik mit ihren maximae, die Rhetorik mit ihren loci communes, die Arithmetik mit den porismata, die Musik und ihre

---

[87] Vgl. zum Folgenden: Chenu (1), (2); Evans (1), (2); d'Alverny (2), (5); Grabmann (1) 452–476; Jolivet.

[88] Vgl. Anm. 11.

[89] . . . ut de grammatica taceamus quae tota est in hominum beneplacitis et voluntate et de eius regulis quae sunt in sola hominum positione . . . (Alanus de Insulis, Regulae 1, ed. Häring 121.)

[90] Vgl. Anm. 11.

axiomata, die Geometrie und ihre theoremata,[91] die Astronomie mit den excellentiae, sowie die Ethik samt ihren sententiae generales und die Physik mit ihren afforismi. Alle diese regulae werden von Alanus in Übernahme der Gilbertschen These als solche qualifiziert, deren Notwendigkeit schwanke, weil sie nur aus Gewohnheit bestünden, bezogen auf den gewohnten und dunklen Lauf der Natur.[92] Für die Geometrie ergibt sich daraus folgendes Problem: Alanus weist mit der Aussage vom allein topischen Anspruch der regulae dieser Disziplin den apodeiktischen Charakter der Geometrie zurück. Damit trägt er zwar einerseits konsequenter der Gilbertschen Auffassung Rechnung als dieser selbst, verläßt aber andererseits die Linie der Boethius-Rezeption und implizit damit auch den Aristotelischen Wissenschaftsbegriff, was im übrigen wiederum belegt, daß die Aristoteles-Rezeption trotz vorliegender Übersetzungen noch nicht sehr verbreitet sein kann.

Zur dritten Wissenschaftsgruppe gehöre allein die Theologie, die sich mit den supracaelestia beschäftigt. Nur ihren Regeln komme absolute und widerspruchsfreie Notwendigkeit zu, weil sie von dem handelten, was weder durch den Akt noch durch die Natur geändert werden könne.[93] Auch hier ist die Darlegung des Alanus nicht ganz stimmig. Die regulae der Theologie werden einerseits „maximae" genannt, was terminologisch auf einen topischen Charakter hindeutet, zumal er auch die regulae der Dialektik mit diesem Terminus benennt, andererseits aber werden sie von ihm als absolut notwendig bezeichnet. Mit seiner Einschätzung der Theologie und ihrer Abhebung von den übrigen Disziplinen übernimmt er den Gilbertschen Theologiebegriff, ja, setzt ihn – um es zu wiederholen – pointierter um als dieser selbst.

Es schließt sich im Prolog – allerdings in leichter Abänderung – die Boethianische Definition der „communis animi conceptio" an, die Alanus wie Gilbert als Schoß und Quelle aller Regeln, als generalissima maxima bezeichnet, die in ihrer Allgemeinheit die Regeln jedweden Fachs umgreift, wobei er ebenfalls wie dieser das Attribut „communis" auf „animi" bezieht.[94] Indem nun Alanus bei der näheren Erläuterung

---

[91] Vgl. zum Gebrauch des Begriffs „theorema" das in Anm. 65 Gesagte.

[92] Et cum ceterarum regularum tota necessitas nutet, quia in consuetudine sola est consistens penes consuetum naturae decursum . . . (Alanus de Insulis, Regulae 5, ed. Häring 122.)

[93] Supercaelestis vero scientia i.e. theologia suis fraudatur maximis. Habet enim regulas digniores sui obscuritate et subtilitate ceteris praeeminentes . . . necessitas theologicarum maximarum absoluta est et irrefragabilis, quia de his fidem faciunt quae actu vel natura mutari non possunt. (Ebd.)

[94] Communis animi conceptio est enuntiatio quam quisque intelligens probat auditam. Haec omnes maximas, cuiuscumque sint facultatis, sua generalitate complectitur. Eleganter autem dicitur communis animi i.e. multorum animorum. Ad hoc enim, ut

dieser Definition darauf hinweist, daß alle regulae – oder maximae, wie er sie in diesem Zusammenhang nennt – naturhaft oder künstlich von allen erkannt würden und man sie zum Beweis heranziehen könne, ohne daß sie selbst eines Beweises bedürften, sie also unbeweisbar und per se nota seien, verwickelt er sich wie Gilbert in einen Selbstwiderspruch, da er diese Aussage auf alle Regeln bezieht.

Er unterscheidet sodann wie sein literarisches Vorbild zwei Gruppen von Regeln, wobei er diese Unterscheidung allerdings nur auf die Theologie bezieht. Zur ersten Gruppe von Regeln gehörten solche, die jedem erkenntnismäßig zugänglich seien, zur zweiten solche, die nur von wenigen, d. h. von Weisen, als Sätze per se nota verstanden würden. Der an früherer Stelle seines Prologs in Aufnahme einer Boethius und Gilbert gemeinsamen Vorstellung formulierte Gedanke, daß den theologischen Regeln eine Vorrangigkeit vor allen übrigen Regeln zuzusprechen sei, die sich aus ihrer Subtilität und Dunkelheit ergebe, läßt sich mit dieser Stelle insofern harmonisieren, als die erste Stelle diese Aussage nicht auf die Regeln der Theologie generell, sondern auf die der Theologie als supercaelestis scientia bezieht, neben der es einen zweiten Teilbereich der Theologie gibt.[95] Nicht aber um diese Theologie geht es Alanus, sondern er will allein die regulae der supercaelestis scientia im nachfolgenden Teil seiner Schrift formulieren.

Diese insgesamt 134 Regeln, die Alanus dann zusammen mit ihren Ableitungen oder Erläuterungen formuliert, können in ihrer Anlage weder auf Boethianischen noch auf Gilbertschen Einfluß zurückgeführt werden. Wohl findet sich eine gewisse Nähe zu der Art und Weise, in der Clarembaldus in seinem *De-hebdomadibus*-Kommentar die Boethianischen Regeln entwickelt. Das eigentliche Vorbild der *Regulae* in ihrem Hauptteil aber ist der bereits erwähnte *Liber de causis,* der in der zweiten Hälfte des 12. Jahrhunderts aus dem Arabischen ins Lateinische übertragen wird.[96] Seine methodische Konzeption, zu einem Thema eine Reihe von Sätzen mit jeweils sich anschließendem Beweis oder sich anschließender Erklärung zu formulieren, ist es, die Alanus für die *Regulae* übernimmt. Zugleich aber gibt er dem Ganzen einen stärker demonstrativen Charakter, indem er zwischen den Sätzen ei-

---

sit maxima, oportet ut ex natura vel artificio in plurium notitiam veniat ut, si ad aliquid probandum accedat, alterius probatione non egeat. Unde indemonstrabilis, per se nota et maxima nuncupatur. (Ebd. 10, ed. Häring 123.)

[95] Theologia in duas distinguitur species: supercaelestem et subcaelestem . . . Ex intellectu [nascitur] subcaelestis sive hypothetica theologia quae circa spirituales creaturas intenditur . . . Ex intelligentia vero supercaelestis sive apothetica oritur qua divina considerantur. (Alanus de Insulis, Quoniam homines I, 2, ed. Glorieux 121.)

[96] Vgl. Lohr (3); Magnard.

nen eindeutigeren Ableitungszusammenhang herstellt, als dies im *Liber de causis* geschieht. Auf diese Weise entsteht ein Satzgeflecht derart, daß ein Satz sich aus einem oder mehreren vorausgehenden Sätzen ableitet, also letztendlich alle Regeln von der ersten ihren Ausgang nehmen. Wie in *De hebdomadibus* entsteht damit ein Argumentationsgefüge, allerdings mit bezeichnenden Differenzen. Während im Boethianischen Text die Lösung eines Problems oder einer quaestio aus den Regeln abgeleitet werden soll – dies entspricht in etwa dem von Boethius genannten mathematischen Vorbild –, alle Regeln also unhintergehbare Voraussetzungen zu sein beanspruchen, besteht in den *Regulae* und in abgeschwächter Form auch im *Liber de causis* der Ableitungszusammenhang zwischen den Regeln selbst, so daß die einzige voraussetzungslose Voraussetzung für das so konstruierte Geflecht allein die erste Regel ist. Allerdings ist sie – und damit wird ihre Voraussetzungslosigkeit in gewisser Weise eingeschränkt – in formaler Hinsicht rückgebunden an die Definition der communis animi conceptio, die ihren gnoseologischen Status bestimmt. Diese Einschränkung der Voraussetzungslosigkeit gilt nach Gilbert und Clarembaldus im übrigen aber auch für die von Boethius aufgestellten Regeln, die gleichfalls auf diese generalissima maxima rückbezogen sind.

Die 134 Regeln oder Maximen behandeln alle wichtigen Inhalte des christlichen Glaubens und der Theologie, von der Gottes- bis zur Sakramentenlehre, wobei man die Abfolge der Themen entsprechend der Ordnung fides, caritas, sacramentum interpretieren kann.[97] Interessant ist, daß das Thema einer angemessenen theologischen Sprache einen großen Raum einnimmt, wohl ein Nachklang des Gilbertschen Anliegens, wonach die rationes die theologischen Probleme lösen sollen, die sich angesichts unangemessener Rede über theologische Gegenstände stellen. Die Regeln selbst sind unterschiedlichen Traditionen entnommen, die von Alanus allerdings nicht angegeben werden; wohl aber nimmt er in den Erläuterungen der Regeln ausdrücklichen Bezug auf die Schriften des *Alten* und *Neuen Testamentes,* auf Aristoteles, die Kirchenväter oder Boethius.

Sind die ersten 115 Regeln speziell der Theologie zuzuordnen, so gehören die letzten 19 nach Alanus zwar der Naturwissenschaft an, können aber dennoch – und hier knüpft er an Gilbert an – als der Theologie und der Naturwissenschaft gemeinsame Regeln verstanden werden, womit sich ihre Aufnahme in dieses Regelwerk erklärt. Da sich diese Regeln auch in der *Zwettler Summe* finden, stellt sich die Frage, ob Alanus die Regeln dieses Textes gekannt hat oder aber auf eine ihm zugrunde liegende eigene Sammlung zurückgegriffen hat. Häring, der

---

[97] Vgl. Jolivet 93.

Editor beider Schriften, ist aufgrund von Vergleichen der Überzeugung, daß die erste Annahme die wohl zutreffendere ist.[98]
Vergleicht man die Vorgehensweise der *Regulae caelestis iuris* des Alanus mit der der *Zwettler Summe* und der des Sentenzenwerkes des Petrus von Poitiers, so wird folgendes deutlich: Durch das Zusammenspiel von Boethianischer Konzeption und *Liber-de-causis*-Ansatz in den *Regulae* wird die ursprüngliche regulare Vorgehensweise, wonach regulae der Lösung einer quaestio dienen, entscheidend abgeändert. Der jeweils zu behandelnde Inhalt wird selbst regular, also im Satzsystem formulierbar, womit zugleich eine sprachliche Reduktion bis auf das für die Aussage Notwendigste einhergeht. Selbst der dem jeweiligen Satz nachfolgende Beweis oder dessen nachfolgende Erklärung sind karg gehalten, komprimiert bis auf die wesentlichen Beweis- oder Explikationsteile.
Indem nun durch Alanus ein deutlich demonstrativer Zusammenhang zwischen den Sätzen hergestellt wird, der zugleich das Hervorgehen aller aus dem ersten impliziert, verschärft er die ursprüngliche Konzeption noch weiter. Das Fundament eines ganzen Lehrzusammenhanges, im Fall des Alanus ist es eine ganze Disziplineneinheit, wird verkürzt auf einen einzigen Satz, in dem alle anderen Sätze virtuell enthalten sind. Von hier aus ist es nur noch ein Schritt bis zum Begriff einer idealen, propter quid vorgehenden Wissenschaft, wie sie Johannes Duns Scotus auf ihre Möglichkeiten und Grenzen hin untersucht, deren Inhalte sich alle aus einem Subjektsbegriff ableiten lassen.[99] Im Gegensatz aber zum Scotischen Ansatz wird man hinsichtlich der Alanischen Konzeption sagen müssen, daß sie nicht zuletzt aufgrund ihrer Orientierung am *Liber de causis* deutlich neuplatonische Züge trägt.[100]
Mit den *Regulae caelestis iuris* des Alanus ist ein erster Höhepunkt und zugleich auch ein erster Endpunkt im Bemühen des 12. Jahrhunderts um die Frage nach Wissenschaft und wissenschaftlicher Methodik erreicht. So zeigt diese Schrift in ihren einleitenden Bemerkungen ein vorgegebenes, Traditionen aufgreifendes und weiterführendes Wissen um eine vielgestaltige Disziplinenlandschaft und um die jeder Wissenschaftsgruppe spezifisch eigene Form regularer Methode. Sie legt aber in ihrem Hauptteil auch selbst einen Entwurf vor, um ein zum traditionellen Kanon der nach Regeln verfahrenden artes nicht gehöriges Fach wie die Theologie in ihrem gesamten Inhalt als ein solches zu rekonstruieren. Mit ihrem Bewußtsein von Wissenschaft und Methode und dem gleichzeitigen Bemühen, Lehre und Durchführung wissen-

---

[98] Häring 9–10.
[99] Vgl. Honnefelder 3–9.
[100] Vgl. dazu Chenu (1).

schaftlicher Vorgehensweise zur Deckung zu bringen, sind die *Regulae caelestis iuris* nicht nur Ausdruck fortgeschrittener oder fortschrittlicher Methodenreflexion ihrer Zeit, sondern bezeichnen zugleich damit auch einen wichtigen Beitrag des Mittelalters zum Fortschritt philosophischer Reflexion überhaupt.

5.2 Nikolaus von Amiens, *Ars fidei catholicae* und die Schrift *Potentia est vis*

So wichtig der Schritt ist, den Alanus mit diesem Werk vollzieht, eine Form der Umsetzung des Programms regularer Vorgehensweise ist noch nicht bis in ihre äußerste Konsequenz betrieben worden, als daß man die Auseinandersetzung mit dieser Frage als abgeschlossen betrachten könnte. Mit der Verbindung nämlich, die der Ansatz von *De hebdomadibus* mit der Vorgehensweise nach Art des *Liber de causis* in den *Regulae caelestis iuris* eingeht, ist der eigentliche Kernpunkt des Boethianischen Anliegens nicht getroffen, nämlich: „ut in mathematica fieri solet". Was aussteht, ist der Versuch, die Regularmethode nach mathematischem Muster sowohl weit strenger als etwa die *Zwettler Summe* zu praktizieren, ja strenger noch als Boethius selbst, als auch universaler als bei diesem sie zu handhaben, nämlich bezogen auf die Gesamtheit einer Disziplin, in der Konzeption einer in vollem Umfang synthetisch verfahrenden Wissenschaft more geometrico. Erst mit dem Vorliegen eines solchen Entwurfs wird man sowohl sagen können, daß das Bemühen um die Frage nach Wissenschaft und Methode ein sachlich angemessenes – wenn auch nur vorläufiges – Ende im 12. Jahrhundert findet, wie auch, daß dieser Abschnitt der Philosophiegeschichte zum Fortschritt philosophischer Reflexion einen eigenen in sich geschlossenen Beitrag leistet. Dieser Versuch wird am Ende des 12. Jahrhunderts von Nikolaus von Amiens mit der *Ars fidei catholicae* vorgelegt.

Aufgrund unterschiedlicher Zuschreibungen in den Inskriptionen und Kolophonen der Handschriften wurde in der Vergangenheit lange Zeit die Frage nach dem Autor der *Ars fidei catholicae* kontrovers diskutiert. Wenngleich die Manuskripte, falls sich in ihnen überhaupt Verfasserangaben finden, neben Nikolaus von Amiens und Alanus de Insulis auch Augustinus und Boethius und mehrfach auch Michael Scottus nennen, bezog sich die Diskussion dennoch nur auf die beiden ersten Autoren. Pez, der 1721 die erste Edition des Textes vorlegte, gab entsprechend den Angaben der von ihm benutzen Handschriften Alanus de Insulis als Autor an. Die *Patrologia Latina,* die seine Textfassung übernahm, druckte dementsprechend die *Ars* neben den *Regulae caelestis iuris* als ein Werk des Alanus ab. Baeumker, der in einer Aufsatzfolge sich mit einigen Handschriften Alanischer Werke beschäftigte,

unterstützte diese These.[101] Demgegenüber plädierten Hauréau und
andere sowie in der Folgezeit dann auch Grabmann und Glorieux in
ihren Arbeiten für die Verfasserschaft des Nikolaus von Amiens.[102]
Wiederaufgenommen wurde die Diskussion 1948 von Balić. Er ent-
deckte in der Metropolitanbibliothek von Zagreb eine Handschrift zur
Ars fidei catholicae, in der sich an diesen Text eine kleine Schrift anschließt, die mit den Worten „Potentia est vis" beginnt. Auf diese
Schrift hatte bereits Baeumker in seiner genannten Untersuchung hingewiesen und sie auch in Teilen auf der Grundlage von zwei Manuskripten – aus Laon und dem Stift Lilienfeld – ediert. Balić glaubte
nun, daß die Zagreber Handschrift in ihrer Zuweisung des kleinen Textes an Nikolaus von Amiens und der *Ars fidei catholicae* an Alanus de
Insulis den ursprünglichen Sachverhalt in der Verfasserfrage repräsen-
tiere.

Gegen diese These, daß der Autor der *Regulae* mit dem der *Ars* identisch sei und damit zugunsten der Annahme der Verfasserschaft von
Nikolaus von Amiens für die *Ars,* sprechen aber nicht nur stilistische
Gründe, wie dann Glorieux anhand eines Vergleichs mit den *Regulae*
ausführte, sondern auch Argumente, die sich auf Inhalt und Methode
beider Traktate beziehen, worauf neuerlich noch einmal Evans hingewiesen hat.[103] Hinzu kommt, daß sich die Verfasserfrage im Hinblick
auf die *Ars,* wie d'Alverny gezeigt hat, eindeutig aufgrund eines Verweises klären läßt, der sich in einer Chronik findet, als deren Autor
unstrittig Nikolaus gilt.[104] Hier nämlich nimmt der Verfasser anläßlich
seiner Überlegungen zur Frage nach einer ersten Ursache Bezug auf
seine Erörterung, die er zu diesem Thema in der *Ars fidei catholicae*
ausgeführt habe.[105]

Mit diesem Verweis läßt sich zugleich auch die Frage nach dem Titel
des Werkes eindeutig entscheiden, die man allein bezogen auf die Angaben der Handschriften zunächst sehr unterschiedlich beantworten
könnte, wenn man einmal die Frage der Authentizität der Inskriptionen und Kolophone unbeachtet läßt. Die Titel, die die Manuskripte der Schrift geben, lassen sich in drei Gruppen zusammenfassen. Vereinzelt werden Angaben gemacht, die keinen oder einen nur
schwachen Bezug zum Inhalt des Werkes haben, wie etwa „Liber de

---

[101] Vgl. Baeumker 163–175.
[102] Vgl. Hauréau (1) Bd. 1, 502, Grabmann (1) Bd. 2, 459–465; Glorieux (3).
[103] Vgl. Glorieux (3); Evans (2) 172–181.
[104] Vgl. d'Alverny (3) 68–69.
[105] . . . ergo utriusque causae causa est superior ipsam componens, sicut in libro de arte
catholicae fidei plenius disputavi. (Aus dem Vorwort der Chronik, abgedruckt in:
d'Alverny (3) 320–322, 320–321.)

pura bonitate sive de veritate et arte fidei Christianae", „Tractatus de
septem vitiis" oder „Liber de memoria rerum difficilium". Die beiden
anderen, etwa gleich großen Gruppen lassen sich danach unterscheiden, ob sie in unterschiedlichsten Zusammmensetzungen den Begriff
der articuli fidei verwenden, so beispielsweise „Liber de articulis fidei",
„Tractatus super articulis fidei" oder aber den der ars fidei catholicae,
wie „Liber de arte fidei catholicae" oder ganz ohne Zusatz „Ars fidei
catholicae". Aufgrund des Verweises, den Nikolaus in seiner Chronik
gibt, läßt sich der Titel nach Art der Angabe der letzten der drei Gruppen als der vom Verfasser gemeinte belegen, wenngleich er in dieser
Schrift bei der Angabe des Titels die Reihenfolge der Begriffe verän-
dert und von der „ars catholicae fidei" spricht. Hinzu kommt als wich-
tigstes, weil textinternes Argument, das die Aussage des Verweises un-
terstützt, das aber auch allein ausreichen würde, diese Frage zu entscheiden, daß im Prolog der *Ars* selbst der Verfasser sein Werk als „ars
fidei catholicae" bezeichnet.[106] Man wird aber aufgrund der Tatsache,
daß die Schrift *Potentia est vis* sowohl die Bezeichnung „De arte fidei"
als auch „De articulis fidei" in ihren Verweisen auf den Text der *Ars*
benutzt, folgern können, daß beide Wendungen in der Tradition sehr
bald gleichberechtigt nebeneinander bestanden haben werden.

Die *Ars fidei catholicae* wird in ihren einleitenden Worten Papst Clemens
III. zugeeignet, so daß man aufgrund dieser Angabe den Zeitraum, in
dem die Schrift abgefaßt ist, als den der Jahre 1187 bis 1191 bestimmen kann. Der Prolog gibt auch Auskunft über die Intention des Werkes. Die Häresien nicht näher genannter Sekten und die Lehre Mo-
hammeds, die die Kirche bedrohen, sollen wirksam bekämpft werden.
Da ihm dazu weder die nötigen körperlichen Kräfte zu Gebote stün-
den, um dies mit äußerer Gewalt zu tun, noch ihm die Gnade zuteil
geworden sei, Wunder zu wirken, wie es die Väter in solch einer Situation getan hätten, aber auch die auctoritates des Alten und des Neuen
Testamentes nicht mehr wie in der Vergangenheit allein überzeugten,
will Nikolaus die Widerstände ausschließlich gestützt auf probabiles
oder humanae rationes bekämpfen. Daß er mit einer solchen Vorgehensweise keineswegs einer rationalistischen Glaubenskonzeption Vor-
schub leisten will, stellt er deutlich heraus: Die Beweise, die er anfüh-
ren will, sollen zwar zum Glauben führen, reichten aber dennoch nicht
aus, um ihn auch voll zu ergreifen, so daß der Gnadencharakter des
Glaubens auf keinen Fall aufgehoben sei.

Indem Nikolaus von Amiens seine Schrift, die die Gesamtheit theologisch relevanter Themen zum Gegenstand hat, als „ars" bezeichnet,
stellt er die Theologie in eine Reihe mit den anderen Disziplinen der

---

[106] Nikolaus von Amiens, Ars fidei catholicae, prol.; 77, 13.

zeitgenössischen Wissenschaftslandschaft. Zugleich bestimmt er sie mit dieser Bezeichnung im Verständnis der Zeit implizit als eine Sammlung von Prinzipien, Vorschriften oder Regeln, die auf ein bestimmtes Ganzes bezogen sind.[107] Damit aber ist auch auf die dieser Schrift zugrunde liegende Methode verwiesen, von der es bei Nikolaus wörtlich heißt: „[Ars fidei catholicae] diffinitiones, divisiones continet et propositiones artificioso processu propositum comprobantes."[108] Gemäß der ars vorgehend – artificioso processu – will er also mit Hilfe unterschiedlicher Satzgruppen Behauptetes beweisen. Drei dieser Satzgruppen werden von Nikolaus am Ende des Prologs in ihrem methodologischen Status genau beschrieben. Es handelt sich um: descriptiones, petitiones, sowie um communes animi conceptiones.[109] Ob diese Bezeichnungen in Parallele zu den zuerst genannten zu setzen sind, geht aus dem Text nicht hervor und scheint wenig wahrscheinlich zu sein. Zum einen ist der Terminus „descriptio" kein Synonym zu „diffinitio", zum anderen bezeichnet Nikolaus im Hauptteil der Schrift mit „propositio" eine Satzart, die einen methodologisch ganz anderen Status hat als die hier genannten drei Satzgruppen. Descriptiones haben – so führt Nikolaus aus – den Zweck, deutlich zu machen, in welchem Sinn bestimmte Worte in seiner Schrift Verwendung finden. Petitiones seien Sätze, die, obwohl sie durch andere nicht bewiesen werden könnten, aber auch nicht evident seien, man ihm dennoch als Beweismittel zugestehen möge. Communes animi conceptiones schließlich seien Aussagen, die von solcher Evidenz seien, daß man sie, wenn man sie vernommen habe, sogleich als wahr zugestehe.

Mit der Aufstellung dieser drei Satzgruppen formuliert Nikolaus von Amiens – allerdings ohne das Vorbild zu nennen – nicht nur wie Euklid in seinen *Elementen* ein dreigliedriges Prinzipieninstrumentarium, mit dessen Hilfe wissenschaftliche Inhalte deduziert werden, sondern er bestimmt auch ihren methodologischen Status genau wie dieser. Zudem benutzt er zur Bezeichnung der Satzgruppen die ins Lateinische gewendeten Euklidischen Begriffe.[110] Die einzige Ausnahme bildet die Gruppe der descriptiones, die in der Euklidischen Geometrie Definitionen im präzisen Sinn des Wortes sind.

---

[107] Vgl. zum Folgenden Evans (2) 182–187, Evans (1) 47–52.
[108] Nikolaus von Amiens, Ars fidei catholicae, prol.; 77, 14–15.
[109] Ebd.; 77, 20–27.
[110] Vgl. Clagett. Vgl. ferner auch „Boethius" Geometrie II. Die genaue Übernahme der Termini zeigt sich im übrigen auch darin, daß Nikolaus im Begriff der communis animi conceptio ‚communis' wie Euklid und Boethius auf ‚conceptio' und nicht wie Gilbert und Clarembaldus auf ‚animi' bezieht.

Es folgt zu Beginn des ersten Buches die Aufstellung dieser drei Satzgruppen entsprechend der im Prolog – und auch hier mit Euklid übereinstimmend – angegebenen Reihenfolge. Die descriptiones beziehen
sich nur auf die Sachverhalte, die im ersten der fünf Bücher der Ars zur
Sprache kommen, weshalb Nikolaus zu Beginn der Bücher II, IV und V
nochmals für diese Teile eigene descriptiones aufstellt, bevor er neue
Themen behandelt, eine Vorgehensweise, die ebenfalls dem
Euklidischen Vorbild entspricht. Dagegen gelten die zu Beginn des ersten Buches formulierten petitiones und communes animi conceptiones für die gesamte Schrift.

Im Anschluß an die Festsetzung der drei Prinzipiengruppen beginnt
das eigentliche Beweisverfahren, in dem alle wesentlichen Inhalte des
christlichen Glaubens und der Theologie aus diesen Sätzen und gege-
benenfalls aus bereits bewiesenen Ableitungen deduziert werden sollen, die Nikolaus als „propositiones" oder ebenso wie Euklid als „theoremata" bezeichnet. Sie sind entsprechend ihren Inhalten in fünf Bücher zusammengefaßt. Das erste Buch behandelt die Gottes- und Trinitätslehre vom Standpunkt der Kausalität aus, das zweite die Schöp-
fung der Engel- und Menschenwelt sowie das Problem des freien Wil-
lens, das dritte die Inkarnation des Gottessohnes, das vierte die Sakra-
mente der Kirche, und das fünfte Buch schließlich handelt von der
Auferstehung.

Der Text Potentia est vis steht in engem formalen wie inhaltlichen Zu-
sam_mmenhang mit der Schrift Ars fidei catholicae, ohne daß man ihn
jedoch als einen ihrer Teile, sei es als eigenständiges sechstes Buch, sei
es als zum fünften Buch dazugehörig bezeichnen könnte, wie dies in
der Überlieferung der Handschriften vereinzelt geschehen ist. Gegen
eine solche Zuweisung sprechen eine Reihe von Argumenten. Zunächst benennt der Prolog der Ars mit Ausnahme eines Manuskripts in
allen der Edition vorliegenden Handschriften nur fünf Bücher, die zu
dieser Schrift gehören. Sodann würde die Zuordnung von Potentia est
vis als sechstes Buch eine Verletzung des Kompositionsprinzips der Ars
bedeuten, da damit eine Themenduplizität vorläge, wie sie sonst an
keiner Stelle der Schrift gegeben ist. Die Notwendigkeit einer zwei-
fachen Behandlung der Gottes- und Trinitätslehre läßt sich darüber
hinaus auch inhaltlich nicht einsichtig machen, zumal wenn – wie im
vorliegenden Fall – zwei theologisch unterschiedliche Konzepte mit ihrer Behandlung verknüpft sind. Als weiteres Gegenargument gegen
die Zugehörigkeit von Potentia est vis zur Ars fidei catholicae ist der Umstand anzuführen, daß in einigen Fällen, in denen im Text von Potentia
est vis Bezüge zur Ars hergestellt werden, nicht einfach, wie es bei internen Verweisen der Ars üblich ist, vom soundsovielten Satz des
soundsovielten Buches gesprochen wird, sondern zusätzlich auch noch

der Titel des Werkes genannt wird. Eine solche Zitationsweise ergibt aber nur dann einen Sinn, wenn es sich bei *Potentia est vis* um einen eigenständigen Text handelt.

Was die Bestimmung des Verfassers von *Potentia est vis* betrifft, so läßt sich darüber nichts Genaues ausmachen. Man könnte allerdings die vom Grundansatz her sehr unterschiedliche Beschäftigung beider Texte mit ein und demselben Thema als ein Argument dafür werten, daß der Verfasser dieses kleinen Textes nicht mit dem der *Ars* identisch ist. Ansonsten aber, und dies begründet die große Nähe der Schrift zur *Ars fidei catholicae,* entspricht sie ihrem Duktus nach genau dem Werk des Nikolaus. Die gleichen methodologischen termini werden benutzt – „propositio", „theorema", „descriptio", „communis animi conceptio" –, derselbe Aufbau wie in den Büchern II, IV und V liegt vor. Zunächst werden in descriptiones die zentralen Begriffe beschrieben, dann folgen die theoremata, die sich in ihren Ableitungen auf diese Beschreibungen, auf die communes animi conceptiones der *Ars* sowie auf deren theoremata und auf ihre eigenen stützen. Im Gegensatz aber zur *Ars* bezieht sich – bedingt durch die Themenduplizität – der Verfasser von *Potentia est vis* auch auf descriptiones, die nicht dem eigenen Text vorgeordnet sind, sondern die den theoremata des ersten Buches der *Ars* vorangestellt sind.

6 Der weitere Gang der Reflexion zu Wissenschaft und Methode im 13. Jahrhundert

Das Problem der Verwendung der synthetischen Methode im Bereich der Philosophie stellt sich – wie die vorliegenden Überlegungen gezeigt haben – für das 12. Jahrhundert als Frage nach der Möglichkeit regulärer oder axiomatischer Vorgehensweise in der Theologie, oder anders gewendet: als Frage nach der Möglichkeit der Konstituierung dieser Disziplin nach Maßgabe einer als ars verstandenen Mathematik. Die vielfältige und vielgestaltige Beschäftigung mit diesem Thema führt zur Entwicklung eines Wissenschaftskonzepts, das am Ende des 12. Jahrhunderts in den Varianten der *Regulae caelestis iuris* des Alanus de Insulis und der *Ars fidei catholicae* des Nikolaus von Amiens seine Verwirklichung findet. Auf diese Weise wird – orientiert an den artes – nicht nur die Theologie als wissenschaftliche Disziplin etabliert, sondern zugleich wird damit der Boden der Rezeption der Aristotelischen Wissenschaftslehre im 13. Jahrhundert bereitet. Ja, wie die *Ars fidei catholicae* zeigt, nimmt Nikolaus von Amiens mit seiner more geometrico konstruierten Theologie das bereits vorweg, was im darauffolgenden Jahrhundert in Kenntnis des *Organon* dann ausführlich problematisiert wird: die Möglichkeit einer Theologie oder Philosophie als Wissenschaft nach dem Maßstab der *Zweiten Analytiken.*

Wie der weitere Gang der Reflexion zum Problem von Wissenschaft und Methode im 13. Jahrhundert jedoch zeigt, ist mit dem Stand der Diskussion, der am Ende des 12. Jahrhunderts erreicht wird, das Thema nicht abgeschlossen. Was fehlt – und dies ist der entscheidende Mangel der bis dahin erzielten Ergebnisse –, ist ihre Fundierung in einem umfassenderen Theorieganzen von Erkenntnislehre und Metaphysik, womit die Absicherung ihrer Voraussetzungen geleistet wäre. Denn in der Auseinandersetzung mit dem Problem der Reichweite menschlicher Erkenntnis und dem des Umfangs der Erkennbarkeit Gottes und seines Tuns werden sich im Verlauf des 13. Jahrhunderts die beiden wichtigsten Annahmen der Alanischen Konzeption und des von Nikolaus vertretenen Ansatzes als nicht haltbar erweisen. Weder läßt sich Gottes Handeln als ein solches verstehen, das sich im Sinne ewiger und unveränderlicher Gesetze vollzieht, wie Alanus mit Gilbert unterstellt, noch ist das menschliche Erkennen so beschaffen, daß es aus den geschaffenen Dingen alle Glaubensinhalte zu erkennen oder abzuleiten in der Lage ist, wie Alanus und Nikolaus es nahelegen, wenn sie, ausgehend von den allgemeinsten Elementen einer Ursachenlehre, die Inhalte der Theologie zu deduzieren versuchen.

Angesichts dieser Grenzen, die sich in diesen beiden Entwürfen formal bereits da andeuten, wo die strenge Ableitung immer mehr zur bloßen Explikation gerät, wird man in den wissenschaftstheoretischen Überlegungen des 13. Jahrhunderts zu dem Ergebnis kommen, daß entweder die ersten nicht hintergehbaren Sätze einer synthetisch verfahrenden Theologie selbst schon Glaubensartikel sein müssen (Thomas von Aquin) oder daß Theologie oder Metaphysik als scientia propter quid in statu isto für den Menschen nicht durchführbar, wohl aber als Ideal anzusehen ist (Johannes Duns Scotus).

Trotz dieser Grenzen aber bleibt es das Verdienst der methodologischen und wissenschaftstheoretischen Überlegungen des 12. Jahrhunderts, die Diskussion um die Inanspruchnahme der synthetischen Methode bis zu ihrer Umsetzung in zwei Entwürfe synthetisch verfahrender Theologie vorangetrieben zu haben und in der Auseinandersetzung und Weiterführung mit dem christlich geprägten artes-Verständnis zugleich gezeigt zu haben, daß wissenschaftliche Rationalität als Prinzip im Kontext des christlichen Erbes enthalten ist.[111]

---

[111] Vgl. Kluxen 288–289.

Z w e i t e r   T e i l

EDITION DER TEXTE ARS FIDEI CATHOLICAE
UND POTENTIA EST VIS

1 Vorbemerkung

Die vorliegende Edition der *Ars fidei catholicae* des Nikolaus von Amiens und des Textes *Potentia est vis* will einen gesicherten Lesetext bieten. Zu diesem Zweck wurde im Rahmen der Vorbereitungsarbeiten zunächst eine umfängliche Handschriftenrecherche unternommen, um zu überprüfen, ob es über die bei Pez, Hauréau, Baeumker, Grabmann, Glorieux und Stegmüller etwa 30 genannten Textzeugen hinaus möglicherweise noch weitere gebe.[112] Die Suche erbrachte beinahe noch einmal dieselbe Anzahl von Handschriften. Hinsichtlich der Schrift *Potentia est vis* waren aufgrund der Teiledition von Baeumker und der Gesamtedition des Textes durch Balić bislang insgesamt fünf Abschriften erfaßt.[113] Im Zusammenhang der Arbeiten an der Edition der *Ars* konnten acht weitere Manuskripte gefunden werden. Die Anzahl der bekannten Textzeugen beläuft sich nun auf 13. Während hier alle für die Herausgabe des Textes zur Verfügung standen, konnten von den insgesamt 57 bekannten Handschriften der *Ars* drei nicht bei der Edition Berücksichtigung finden.

2 Die Handschriften

Im folgenden werden zunächst die den beiden Editionen vorliegenden Textzeugen in der alphabetischen Reihenfolge ihrer Siglen aufgeführt. Aufgrund des in den Manuskripten gegebenen engen Zusammenhangs mit dem Text der *Ars* konnten für die Abschriften von *Potentia est vis* dieselben Handschriftensignaturen verwendet werden.
Bei der Suche nach Textzeugen für die *Ars fidei catholicae* hat sich gezeigt, daß diese Schrift und damit auch *Potentia est vis* in sehr vielen

---

[112] Vgl. Hauréau (1) 502–503; ders., (2) 74–76, 106–107; ferner Baeumker; Grabmann (1) Bd. 2, 459–462; Glorieux (1) 263–64; ders. (2) 260f; Stegmüller 271. Die Angaben von Pez finden sich in der Einleitung zu seiner Edition der Ars, wie sie bei Migne abgedruckt ist.

[113] Vgl. Baeumker; Balić (2).

Fällen in den Codices mit den bereits genannten, formal verwandten Texten zusammengestellt sind, wie den *Regulae caelestis iuris,* dem *Liber XXIV philosophorum, De intelligentiis, De hebdomadibus* u. a. Da dies ein interessanter Hinweis für die systematischen Überlegungen zu Regularmethode und Axiomatik darstellt, wird bei den Codexbeschreibungen auch auf diese Werke hingewiesen, wenn sie mit dem Text der *Ars* oder dem von *Potentia est vis* zusammengebunden sind.

2.1 Beschreibung der vorliegenden Handschriften im Zusammenhang ihrer Codices

A = Arras, Bibliothèque Municipale (cathédrale), (1024) 463

membr., fol. 40, 4°, 1 col., saec. XIV

fol. 21r Inscriptio: „Incipit liber de articulis fidei."
fol. 21r Incipit: „Clemens papa, cuius rem . . ."
fol. 23v Explicit: „. . . quae divini boni particeps." (Ars II,4)

sowie u. a.:
– Alanus de Insulis, Regulae caelestis iuris
– Adam Pulchrae Mulieris, De Intelligentiis

Lit.: Catalogue générale des manuscrits des bibliothèques publiques des départements 4, Paris 1872.

Ad = Admont, Stiftsbibliothek, 668

membr., fol. 128, mm 200*145, 2 col., saec. XIV

fol. 1r Inscriptio: „Incipit prologus sequentius operis."
fol. 1r Incipit: „Clemens papa, cuius rem . . ."
fol. 7r Explicit: „. . . et sic patet propositum."
fol. 7r Colophon: „Explicit liber de pura bonitate sive de veritate et arte fidei Christianae a Clemente papa quarto approbatus et auctorizatus."

Lit.: Unveröffentlichtes handschriftliches Verzeichnis der Stiftsbibliothek Admont.

Ar = Arras, Bibliothèque Municipale (Bibliotheca monasterii Sancti Vedasti Atrebatensis), (930) 327

membr., 145 fol., 2°, 2 col., saec. XIV

fol. 112r Inscriptio: „Incipiunt edicta fidei catholicae a Nicholao Ambianensi scripta domino papae Clementi. Prologus."
fol. 112r Incipit: „Clemens papa, cuius rem . . ."
fol. 115r Explicit: „. . . et sic patet propositum."
fol. 115r Colophon: „Explicit liber de arte fidei catholicae."

Lit.: Catalogue générale des manuscrits des bibliothèques publiques des départements 4, Paris 1872.

As = Assisi, Biblioteca Sacro Convento di S. Francesco, 28T

membr., fol. 7+240, mm. 205*290, 2 col., saec. XIII

fol. 70r Inscriptio: „Incipit prologus in artem fidei catholicae editum a Nicholao Ambianense ad papam Clementem IV."

fol. 70v Incipit: „Clemens papa, cuius rem . . ."

fol. 75r Explicit: „. . . sic patet propositum."

fol. 75r Colophon: „Explicit tractatus de VII vitiis."

Lit.: C. Cenci, Bibliotheca manuscripta ad sacrum conventum Assisiensem 1, Assisi 1981.

B = Berlin, Staatsbibliothek zu Berlin – Preußischer Kulturbesitz (Emmerich), Ms. theol. lat. fol. 171 (= Rose Nr. 768)

chart., fol. 201, mm 200*130/150, 2 col., saec. XV (1473)

fol. 141r Inscriptio: „Incipit tractatus (Alani s. lin.) super articulis fidei. Liber primus."

fol. 141r Incipit: „Clemens papa, cuius rem . . ."

fol. 150r Explicit: „. . . sic propositum patet."

fol. 150r Colophon: „Explicit liber Alani de articulis fidei."

Lit.: V. Rose, Verzeichnis der lateinischen Handschriften der königlichen Bibliothek zu Berlin 2, Berlin 1903.

Ba = Basel, Universitätsbibliothek (Baseler Predigtkloster), A. X. 120

chart., fol. 222, mm 220*150, 1 col., saec. XIV ex.

fol. 72v Inscriptio: „De articulis fidei catholicae Alanus."

fol. 72v Incipit: „Clemens papa, cuius rem . . ."

fol. 82r Explicit: „. . . sic patet propositum. Deo gratias."

fol. 82r Colophon: „Explicit liber (Alani s. lin.) de articulis fidei per P. Prenner de Vissenhorn natus nutritus in Ulma etc."

sowie u. a.:

– Thomas von Aquin, De rationibus fidei

Lit.: G. Binz, Die deutschen Handschriften der öffentlichen Bibliothek der Universität Basel 1, Basel 1907.

Bas = Basel, Universitätsbibliothek (Dominikanerkonvent Basel), A VI 24

chart., fol. 270, mm 290*210, 1 col., saec. XV (ante med.)

fol. 126r Inscriptio: „Incipit liber de articulis fidei."

fol. 126r Incipit: „Clemens papa, cuius rem . . ."

fol. 134r Explicit: „. . . sic patet propositum."

fol. 134r Incipit: „Potentia est vis . . ."

fol. 136r Explicit: „. . . iudicandis homo iudex."

fol. 136r Colophon: „Explicit liber de articulis fidei."

sowie u. a.:
- Boethius, De hebdomadibus
- Gilbert von Poitiers, Expositio in Boetii de hebdomadibus
- Thomas von Aquin, De rationibus fidei
- Alanus de Insulis, Regulae caelestis iuris

Lit.: Unveröffentlichtes Handschriftenverzeichnis der Universitätsbibliothek Basel.

Br = Brügge, Stedelijke Openbare Bibliotheek, 441

chart., fol. 236 (+ 2), mm 288 x 210, 1 vel 2 col., saec. XV

fol. 189v Incipit: „Clemens papa, cuius rem . . ."
fol. 194v Explicit: „. . . sic propositum patet et intentum et cetera."

Lit.: A. de Poorter, Catalogue des manuscrits de la bibliothèque de la ville de Bruges (= Catalogue général des manuscrits des bibliothèques de Belgique 4) Gembloux 1934, 496–500; A. Pelzer, Le nouveau catalogue des manuscrits de la ville de Bruges, in: Revue Néo-Scolastique de Philosophie 38 (1935) 344–351.

Bu = Budapest, Universitätsbibliothek (Venezien), 17

chart. et membr., fol. III et 173, mm 333*235, 2 col., saec. XV (ca. 1450)

fol. 167v Inscriptio: „Incipit liber de arte fidei catholicae."
fol. 167v Incipit: „Clemens papa, cuius rem . . ."
fol. 172v Explicit: „. . . sic propositum patet."
fol. 172v Colophon: „Explicit quintus liber de arte fidei catholicae."

Lit.: L. Mezey, Codices latini medii aevi bibliothecae universitatis Budapestinensis, Budapest 1961.

C = Cambridge, Pembroke College Library, 20

membr., fol. 127 + 1, in. 13,6*9,5, 2 col., saec. XIII ex.

fol. 45v Incipit: „Clemens papa, cuius rem . . ."
fol. 50r Explicit: „. . . sic propositum patet."

Lit.: M. Rhodes James, E. H. Minns, Descriptive Catalogue of the Manuscripts in the Library of Pembroke College Cambridge, Cambridge 1905.

Ca = Cambrai, Bibliothèque Municipale (Saint-Aubert) 474 (445)

membr., fol. 233, mm 292*205, 2 col., saec. XIV inc.

fol. 228v Inscriptio: „Incipit liber de articulis fidei ab Augustino compositus."
fol. 228v Incipit: „Clemens papa, cuius mens . . ."
fol. 233v Explicit: „. . . sic patet propositum."
fol. 233v Colophon: „Explicit liber Augustini de articulis fidei."

Lit.: Catalogue général des manuscrits des bibliothèques publiques de France – Départements 17, Paris 1891.

Cc = Cambridge, Corpus Christi College Library (Canterbury) 63, 14
membr., fol. 260+4, in. 12,6*9,4, 1 col., saec. XIII–XIV

fol. 142r Inscriptio: „Incipit libellus qui dicitur ars fidei."
fol. 142r Incipit: „Clemens papa, cuius rem . . ."
fol. 144v Explicit: „. . . sic patet propositum."
fol. 144v Colophon: „Explicit ars fidei catholicae a Clemente papa
auctorizatus."

Im Anschluß folgt ein kleines Textstück, in dem der Schreiber der
Handschrift die Unterscheidungen der Bewegungsarten anführt, die
der Verfasser der *Ars* in seinen descriptiones zu Beginn des ersten
Buches zwar nennt, ohne ihnen eine nähere Beschreibung folgen zu
lassen.

Lit.: Catalogue of the Manuscripts in the Library of Corpus Christi College Cambridge.

D = Dublin, Trinity College Library 275
membr., saec. XIII inc.

p. 265 Inscriptio: „Incipit primus liber de articulis fidei a (magistro *s.
lin.*) Nicholao (Querche *i. m.*) editus et a Clemente papa auctoritatus.
Epistula ad Clementem papam."
p. 265 Incipit: „Clemens papa, cuius rem . . ."
p. 281 Explicit: „. . . sic patet propositum."
p. 281 Incipit: „Potentia est vis . . ."
p. 284 Explicit: „. . . iudicandis hominibus homo iudex."

sowie u. a.:
– Alanus de Insulis, Regulae caelestis iuris

Lit.: T. K. Abbott, Catalogue of the Manuscripts in the Library of Trinity College Dublin,
Dublin 1900.

E = Erfurt, Amplonianische Bibliothek, CA 2°6
chart., fol. 283, 2°, 2 col., saec. XV (1455)

fol. 272ra Inscriptio: „Liber Michaelis Scoti canonici Ambianensis de
articulis fidei confirmatus a Clemente papa."
fol. 272ra Incipit: „Clemens papa, cuius rem . . ."
fol. 279vb Explicit: „. . . sic propositum patet et cetera."
fol. 279vb Colophon: „Explicit liber Alani (Michaelis Scoti corr.) de
arte fidei catholicae (seu de maximis theologiae *cancell*). Explicit Michael Scotus de arte fidei catholicae."

sowie u. a.:
– Aegidius Romanus, Theoremata de sacramento eucharistiae
– Aegidius Romanus, Theoremata de esse et essentia

Lit.: W. Schum, Beschreibendes Verzeichnis der Amplonianischen Handschriften-Sammlung zu Erfurt, Berlin 1887. (Die folio-Angaben von Schum wurden entsprechend einer Mitteilung der Ampl. Bibliothek korrigiert.)

Er = Erfurt, Amplonianische Bibliothek, CA 4°130

membr., 4°, fol. 206, 1 col., saec. XII ex. – saec. XIV ex.

fol. 83r Inscriptio: „Incipit ars fidei catholicae vel libellus de articulis fidei editus per . . . *(ras.)*.“
fol. 83r Incipit: „Clemens papa, cuius rem . . .“
fol. 93v Explicit: „. . . sic propositum patet.“
fol. 93v Colophon: „Explicit ars fidei catholicae vel libellus de articulis fidei auctoritate papae Clementis confirmatus.“

sowie u. a.:
– Alanus de Insulis, Regulae caelestis iuris

Lit.: W. Schum, Beschreibendes Verzeichnis der Amplonianischen Handschriften-Sammlung zu Erfurt, Berlin 1887.

Erf = Erfurt, Amplonianische Bibliothek (Köln?), CA 4°104

chart., fol. 215, 4°, 2 col., saec. XIV (1387–1394)

fol. 200ra Incipit: „Clemens papa, cuius rem . . .“
fol. 215ra Explicit: „. . . sic propositum patet.“
fol. 215ra Colophon: „Explicet (!) liber Alani (Michaelis Scoti *corr.*) de arte fidei catholicae seu de maximis theologiae 1394 Coloniae conscriptus.“

sowie u. a.:
– Anonymus, Tractatus optimus Anglicanus de theorematibus theologicis demonstratis

Lit.: W. Schum, Beschreibendes Verzeichnis der Amplonianischen Handschriften-Sammlung zu Erfurt, Berlin 1887.

F = Florenz, Bibliotheca Laurentiana, Plut. 83.27

membr., 4°, fol. 91, 1 col., saec. XIV,

fol. 3v Incipit: „Clemens papa cuius rem . . .“
fol. 7r Explicit: „. . . sic patet propositum.“

sowie u. a.:
– Liber de causis

Lit.: A. M. Bandini, Catalogus codicum latinorum bibliothecae Laurentianae 3, Florenz 1776.

H = Laon, Bibliothèque municipale (Notre Dame), 412

membr., 2°, 2 col., saec. XIII

fol. 88v Incipit: „Clemens papa, cuius rem . . .“

fol. 91v Explicit: „. . . sic patet propositum."
fol. 91v Colophon: „Explicit ars fidei a Clemente papa auctoritata."
fol. 91v Inscriptio: „Liber de trinitate."
fol. 91v Incipit: „Potentia est vis . . ."
fol. 92v Explicit: „. . . iudicandis hominibus homo iudex."
fol. 92v Colophon: „Explicit."

sowie u. a.:
– Liber XXIV philosophorum

Lit.: Catalogue générale des manuscrits des bibliothèques publiques des départements 1, Paris 1849.

I = Paris, Bibliothèque Nationale (Sorbonne), lat. 16297
2 col., saec. XIII

fol. 167r Inscriptio: „Incipit prologus in artem fidei catholicae editam a Nicholao Ambianensi."
fol. 167r Incipit: „Clemens papa, cuius rem . . ."
fol. 173v Explicit: „. . . sic propositum patet."
fol. 173v Colophon: „Explicit liber de articulis fidei."

sowie u. a.:
– Alanus de Insulis, Regulae caelestis iuris

Lit.: L. Delisle, Inventaire des manuscrits latins conservés à la Bibliothèque Nationale sous les numéros 8823–18613, Paris 1863–1871.

Ia = Paris, Bibliothèque Nationale (Sorbonne), lat. 16082
1 vel 2 col., saec. XIV inc.

fol. 375v Inscriptio: „De articulis fidei."
fol. 375v Incipit: „Clemens papa, cuius rem . . ."
fol. 388v Explicit: „. . . sic patet propositum."
fol. 388v Colophon: „Explicit. Explicit de articulis fidei."

Lit.: L. Delisle, Inventaire des manuscrits latins conservés à la Bibliothèque Nationale sous les numéros 8823–18613, Paris 1863–1871.

Ip = Paris, Bibliothèque Nationale (England), lat. 6506
membr., fol. 119, mm 273*190, 2 col., saec. XIII (ca. med.)

fol. 114v Inscriptio: „Incipit prologus in artem fidei catholicae editam a Nicolao Andranensi."
fol. 114v Incipit: „Clemens papa, cuius rem . . ."
fol. 118v Explicit: „. . . sic propositum patet."
fol. 118v Colophon: „Explicit liber quintus de arte fidei catholicae. Deo gratias. Amen."

Lit.: F. Avril, P. Stirnemann, Manuscrits enluminés d'origine insulaire VIIe-XXe siècle, Paris 1987.

Ir = Paris, Bibliothèque Nationale (Sorbonne), lat. 16084

2 col., saec. XIV inc.

fol. 192r Incipit: „Clemens papa, cuius rem . . .“
fol. 197v Explicit: „. . . sic propositum patet.“
fol. 197v Colophon: „Finis.“
fol. 197v Incipit: „Potentia est vis . . .“
fol. 198r Explicit: „. . . iudicandis hominibus homo iudex.“

sowie u. a.:
– Alanus de Insulis, Regulae caelestis iuris
– Liber de causis

Lit.: L. Delisle, Inventaire des manuscrits latins conservés à la Bibliothèque Nationale sous les numéros 8823–18613, Paris 1863–1871.

K = Kopenhagen, Königliche Bibliothek (Deutschland), Gl. kgl. S. 1620 4°

membr., fol. 162, mm 175*130, 2 col., saec. XIV

fol. 131r Inscriptio: „Incipit summa magistri Nycolai Ambianensis de arte fidei catholicae.“
fol. 131r Incipit: „Clemens papa, cuius rem . . .“
fol. 144v Explicit: „. . . sic patet propositum.“

sowie u. a.:
– Alanus de Insulis, Regulae caelestis iuris

Lit.: E. Jorgensen, Catalogus codicum latinorum medii aevi bibliothecae Regiae Hafniensis, Kopenhagen 1926.

Ko = Kopenhagen, Königliche Bibliothek (Bibl. Gottorp.), Gl. kgl. S. 62

chart., fol. 114, mm 289*210, 2 col., saec. XV

fol. 109r Inscriptio: „Incipit tractatus de arte fidei editus in Erfordia ab egregio doctore sacrae theologiae Bartolomeo de Lusatia.“
fol. 109r Incipit: „Clemens papa, cuis rem . . .“
fol. 114r Explicit: „. . . sic patet finis et cetera.“

sowie u. a.:
– Alanus de Insulis, Regulae caelestis iuris

Lit.: E. Jorgensen, Catalogus codicum latinorum medii aevi bibliothecae Regiae Hafniensis, Kopenhagen 1926.

L = Lilienfeld, Stiftsbibliothek (Österreich), 144

membr., fol. 216, 2°, 2 col., saec. XIII, Baeumker corr.: saec. XIV ante med.

fol. 119r Inscriptio: „Incipit Alanus de articulis fidei.“

fol. 119r Incipit: „Clemens papa, cuius rem . . .“
fol. 123v Explicit: „. . . sic patet propositum.“
fol. 123v Colophon: „Explicit liber de articulis fidei.“
fol. 123v Incipit: „Potentia est vis . . .“
fol. 124r Explicit: „. . . tale quam alterius modi et cetera ex est.“
(Potentia, theor. 5)
fol. 124r Colophon: „Explicit liber Alani. Amen.“

sowie u. a.:
– Alanus de Insulis, Regulae caelestis iuris
– Adam Pulchrae Mulieris, Liber de intelligentiis

Lit.: C. Schimek, Verzeichnis der Handschriften des Stiftes Lilienfeld, 1891; C. Baeumker, Handschriftliches zu den Werken des Alanus, in: Philosophisches Jahrbuch 6 (1893) 163–175, 416–429.

Li = Lissabon, Biblioteca Nacional (Frankreich), F.G. 2299

chart., fol. 309+1, mm 300*220, 2 col., saec. XIV ex. (ca. 1400)

fol. 135r Incipit: „Clemens papa, cuius rem . . .“
fol. 135r Explicit: „. . . sed nec miraculorum gratia.“ (Ars, prol.)
fol. 135r Colophon: „Explicit liber de memoria rerum difficilium.“

sowie u. a.:
– Thomas von Aquin, De rationibus fidei
– Adam Pulchrae Mulieris, Liber de intelligentiis

Lit.: M.-Th. d'Alverny, Avicenna Latinus VIII, in: Archives d'histoire doctrinale et littéraire du moyen âge 43 (1968) 301–335.

M = München, Staatsbibliothek (Tegernsee) Clm. 18971

membr. et chart., fol. 232, 8°, 1 col., saec. XV

fol. 100r Inscriptio: „Incipit liber primus (magistri Alani s. lin.) de arte fidei catholicae agens de una omnium causa, id est de uno deo eodemque trino, XXX continens propositiones.“
fol. 100r Incipit: „Clemens papa, cuius rem . . .“
fol. 140r Explicit: „. . . sic propositum patet.“
fol. 140r Colophon: „Explicit liber de arte fidei catholicae a magistro Alano compositus. Deo gratias.“

Lit.: K. Halm, W. Meyer, Catalogus codicum latinorum bibliothecae Regiae Monacensis 4,1, München 1874.

Mu = München, Staatsbibliothek (Tegernsee) Clm. 18175

fol. 184, 2°, 1 col., saec. XV

fol. 116r Inscriptio: „Incipit liber (magistri Alani s. lin.) primus de arte fidei catholicae agens de una omnium causa, id est de uno deo eodemque trino, 30 continens propositiones.“

fol. 116r Incipit: „Clemens papa, cuius rem . . ."
fol. 123v Explicit: „. . . sic propositum patet."
fol. 123v Colophon: „Explicit liber de arte fidei catholicae a magistro Alano compositus. Deo laus."

sowie u. a.:
– Alanus de Insulis, Regulae caelestis iuris

Lit.: K. Halm, W. Meyer, Catalogus codicum latinorum bibliothecae Regiae Monacensis 4,1, München 1874.

Mue = München, Staatsbibliothek (Ebersbach), Clm. 5844

fol. 187, 2°, 2 col., saec. XV

fol. 174r Inscriptio: „Incipit liber primus de arte fidei catholicae agens de una omnium causa, id est de uno deo eodemque trino, triginta continens propositiones."
fol. 174r Incipit: „Clemens papa, cuius rei . . ."
fol. 182v Explicit: „. . . sic propositum patet et cetera."
fol. 182v Colophon: „Explicit liber editus de arte fidei catholicae a magistro Alano compositus, qui duo, qui septem, qui totum scibile scivit."

Lit.: K. Halm, G. Laubmann, Catalogus codicum latinorum bibliothecae Regiae Monacencis 1,1, München 1868.

Mun = München, Staatsbibliothek (Emmeran), Clm. 14756

membr., fol. 160, 8°, 2 col., saec. XIV et XI

fol. 1r Inscriptio: „Incipit liber Alani de articulis fidei."
fol. 1r Incipit: „Clemens papa, cuius rem . . ."
fol. 15r Explicit: „. . . sic propositum patet."
fol. 15r Colophon: „Amen. Explicit Alanus de articulis fidei."

Lit.: K. Halm u. a., Catalogus codicum latinorum bibliothecae Regiae Monacensis 2,3, München 1878.

N = London, King's Library, British Library, 10. A. X.

4°, 2 col., saec XIII

fol. 147r Inscriptio: „Incipit liber de articulis fidei editus a Nicholao confirmatus a Clemente papa III."
fol. 147r Incipit: „Clemens papa, cuius rem . . ."
fol. 152r Explicit: „. . . sic patet propositum."
fol. 152r Colophon: „Explicit liber de articulis fidei."

Lit.: D. Casley, Catalogue of the Manuscripts of the King's Library, London 1734.

Ne = Neapel, Biblioteca Nazionale Vittorio Emanuele III, Collection Farnèse, VIII C 22 (anc. E 1 n° 17)

membr., fol. 96, mm 235*170, 2 col., saec. XIII ex.

fol. 91r Inscriptio: „Incipit liber de arte fidei catholicae auctorizatus a domino ipso Romano Clemente IIIo. Prologus."
fol. 91r Incipit: „Clemens papa, cuius rem . . ."
fol. 95r Explicit: „. . . sic propositum patet."
fol. 95r Incipit: „Potentia est vis . . ."
fol. 95r Explicit: „. . . fons est iste rivulus." (Potentia, theor. 12)

sowie u. a.:
verschiedene mathematische und physikalische Abhandlungen, so z. B. die Elemente des Euklid

Lit.: F. Fossier, La Bibliothèque Farnèse. Etude des manuscrits latins et en langue verna-culaire, Rom 1982.

Nk = London, King's Library, British Library 8C IV
4°, 2 col.,

fol. 8r Inscriptio:„ Incipit prologus in artem fidei catholicae editam a Nicholao Ambianensi papae Clementi IIo anno domini 1050."
fol. 8r Incipit: „Clemens papa, cuius rem . . ."
fol. 13r Explicit: „. . . sic patet propositum."
fol. 13r Colophon: „Expliciunt articuli fidei legens evangelium signare debet librum ostendens evangelium esse celebrari signare debet pectus ostendens se hoc credere corde quod confitetus (!) ore signare debet os ostendens paratum se esse ore confiteri signare debet frontem osten-dens de (!) non erubescere (!) de evangelio."

Lit.: D. Casley, Catalogue of the Manuscripts of the King's Library, London 1734.

O = Oxford, Bodleian Library (England), 3623 (Ms. Auct. F. 5.28)
membr., fol. XLI+227, in. 9,5*7, 2 col., saec. XIII

fol. 158r Inscriptio: „Incipit liber de articulis fidei."
fol. 158r Incipit: „Clemens papa, cuius rem . . ."
fol. 163r Explicit: „. . . sic patet propositum."
fol. 163r Colophon: „Explicit ars fidei a Clemente papa auctoritata."
fol. 163r Inscriptio: „Incipit de filio dei."
fol. 163r Incipit: „Potentia est vis . . ."
fol. 164r Explicit: „. . . hominibus iudicandis homo iudex."
fol. 164r Colophon: „Explicit liber de filio dei."

sowie u. a.:
verschiedene mathematische und physikalische Abhandlungen, so z. B. die Elemente des Euklid

Lit.: F. Madan u. a., A Summary Catalogue of Western Manuscripts in the Bodleian Library at Oxford 2,2, Oxford 1937.

Ob = Oxford, Bodleian Library, Digby 28

membr., fol. 215, 4° minori, 1 col., saec. XIV inc.

fol. 138v Inscriptio: „Incipit liber Clementis papae de articulis fidei."
fol. 138v Incipit: „Clemens papa, cuius rem . . ."
fol. 149r Explicit: „. . . sic patet propositum."
fol. 149r Colophon: „Explicit liber de articulis fidei."

sowie u. a.:
physikalische und astronomische Schriften

Lit.: W. D. Macray, Catalogi codicum manuscriptorum bibliothecae Bodleianae. Pars nona. Codices a viro clarissimo K. Digby, Oxford 1883.

Oba = Oxford, Bodleian Library, Digby 154

membr., fol. 112, 2°, 2 col., saec. XIII, XIV

fol. 54r Incipit: „Incipiunt descriptiones primi libri.
Causa est, per quam . . ." (Ars I, descr.)
fol. 62v Explicit: „. . . sic propositum patet."
fol. 62v Colophon: „Explicit liber quintus de arte fidei catholicae."

Lit.: W. D. Macray, Catalogi codicum manuscriptorum bibliothecae Bodleianae. Pars nona. Codices a viro clarissimo K. Digby, Oxford 1883.

Obe = Oxford, Bodleian Library, Selden Supra 79

chart., pp. LII+390, in. 8,25*6,25, 1 col., saec. XVII (ca. 1620–1630)

p. VII Inscriptio: „Nicolai Arabici de arte fidei. Libri quinque.
Ad Clementem papam."
p. VII Incipit: „Clemens papa, cuius rem . . ."
p. XXI Explicit: „. . . sic propositum patet."
p. XXI Colophon: „Explicit liber quintus de arte fidei catholicae."
(Abschrift von Digby 28 [= Ob])

sowie u. a.:
Kopien astronomischer und astrologischer Texte

Lit.: F. Madan, H. H. E. Craster, A Summary Catalogue of Western Manuscripts in the Bodleian Library at Oxford 2,1, Oxford 1922.

Obo = Oxford, Bodleian Library, Canon Pat. lat. 25

membr., fol. 106, 4°, 2 col., saec. XV

fol. 1 Inscriptio: „Iste liber est beati Clementis de quo beatus Paulus scribit cum Clemente et ceteris auctoribus meis." (Philem 4,3)
fol. 1 Incipit: „Clemens papa, cuius rem . . ."
fol. 2v Explicit: „. . . propositio per XXV apparet." (Ars II,27)

Lit.: Catalogi codicum manuscriptorum bibliothecae Bodleianae. Bibliothecae canonicianae.

Oma = Oxford, Magdalen College Library, lat. 192

membr., fol. 256, 2°, 1 col., saec. XIV inc.

fol. 10r Inscriptio: „Incipit prologus in artem fidei catholicae editam a magistro Nicholao Ambianensi."
fol. 10r Incipit: „Clemens papa, cuius rem . . ."
fol. 14v Explicit: „. . . sic propositum patet."
fol. 14v Colophon: „Explicit quintus liber de arte fidei et liber totalis."

sowie u. a.:
– Liber de causis

Lit.: H. O. Coxe, Catalogus codicum mss. qui in collegiis aulisque Oxoniensibus hodie adservantur 2, Oxford 1852.

Ome = Oxford, Merton College, 140

2°, 2 col., saec. XIV (XVII)

fol. 3v Incipit: „Clemens papa, cuius rem . . ."
fol. 8v Explicit: „. . . hominibus iudicandis homo iudex."
fol. 8v Colophon: „Explicit."

sowie u. a.:
– Liber de causis

Lit.: F. M. Powicke, The Medieval Books of Merton College, Oxford 1931.

Ox = Oxford, Balliol College Library, 112

fol. 174, in. 14,25*10, 2 col., saec. XIV inc.

fol. 123v Inscriptio: „Incipiunt de articulis fidei. De articulis fidei. Incipit."
fol. 123v Incipit: „Quidquid est causa causae . . ." (Ars I,1)
fol. 127r Explicit: „. . . magna puniendus est poena."
fol. 127r Colophon: „Explicit liber de articulis fidei. Finito libro reddatur gloria Christo. Amen."

sowie u. a.:
– Liber de Causis

Lit.: R. A. B. Mynors, Catalogue of the Manusripts of Balliol College Oxford, Oxford 1963.

Oxb = Oxford, Balliol College Library (Oxford), 232

fol. II+167, in. 16*10, 2 col., saec. XIV (1350)

fol. 167v Incipit: „Clemens papa, cuius rem . . ."
fol. 167v Explicit: „. . . sed nec miraculorum gratia." (Ars, prol.)

sowie u. a.:
– Schriften des Aristoteles
– Liber de Causis

Lit.: R. A. B. Mynors, Catalogue of the Manusripts of Balliol College Oxford, Oxford 1963.

P = Prag, Universitätsbibliothek, III. E. 15

membr., fol. 45, mm 265*160, 2 col., saec. XIII–XIV

fol. 34v Incipit: „Clemens papa, cuius rem . . .“

fol. 45r Explicit: „. . . sic patet propositum.“

sowie u. a.:

Werke des Boethius, z. B. De hebdomadibus

Lit.: J. Truhlár, Catalogus codicum manu scriptorum latinorum qui in c.r. bibliotheca publica atque universitatis Pragensis asservantur. Pars prior, Prag 1905.

R = Rom, Bibliotheca Apostolica Vaticana, Vat. lat. 1041

Codex in duo volumina dispertitus, chart., ca. mm 300*215, saec. XV inc.

pars I fol. CCXXII(–CCII. CCXVII), 1 col., (fol. CXCIIIIv–CXCVIIr 2 col.)

pars II fol. 222–400 1 col.

fol. 50r Incipit: „Clemens papa, cuius rem . . .“

fol. 61v Explicit: „. . . iudicandis hominibus homo iudex.“

fol. 61v Colophon: „Explicit liber de articulis fidei. Boecius composuit hunc librum de articulis fidei.“

sowie u. a.:

– Alanus de Insulis, Regulae caelestis iuris

– Liber de causis

Lit.: A. Pelzer, Bibliothecae Apostolicae Vaticanae codices manu scripti recensiti. Codices Vaticani latini 2,1, codices 679–1134, Rom 1931.

Re = Reims, Bibliothèque municipale, 864

membr., fol. 384, mm 325*215, 2 col., saec. XIII

fol. 144r Inscriptio: „Sequitur de articulis fidei *(i.m.)*.“

fol. 144r Incipit: „Clemens papa, cuius rem . . .“

fol. 156r Explicit: „. . . sic patet propositum.“

fol. 156r Incipit: „Potentia est vis . . .“

fol. 158v Explicit: „. . . hominibus iudicandis homo iudex.“

Lit.: H. Loriquet, Catalogue général des manuscrits des bibliothèques publiques de France. Départements, 39,2, Reims, Paris 1904.

Ro = Rom, Bibliotheca Apostolica Vaticana, Vat. lat. 4245

membr., fol. 352, mm 250*170 (fol. 1–25), mm 265*170 (fol. 25[!]–45, 62–81, 90–121, 242–282), mm 280*180 (reliq. fol.), 2 col., saec. XIV

fol. 38r Inscriptio: „Incipiunt edita fidei catholicae a Nicholao Ambianensi scripta domino papae Clementi. Prologus."
fol. 38r Incipit: „Clemens Papa, cuius rem . . ."
fol. 42v Explicit: „. . . sic patet propositum."
fol. 42v Colophon: „Explicit liber de arte fidei catholicae."
sowie u. a.:
Alanus de Insulis, Regulae caelestis iuris
Lit.: Unveröffentliche Codexbeschreibung (G. J. Etzkorn, St. Bonaventure, N.Y.).

Rom = Rom, Bibliotheca Apostolica Vaticana, lat. 2081
membr., fol. 216, mm 375*240, 2 col., saec. XIII ex.
fol. 210r Incipit: „Clemens papa, cuius rem . . ."
fol. 216v Explicit: „. . . et sacramentis, quod erat propositum." (Ars IV,I)
sowie u. a.:
– Liber de causis
Lit.: C. Leonardi, Bibliothecae Apostolicae Vaticanae codices manu scripti recensiti. Codices vaticani latini, codices 2060–2117, Rom 1987.

S = Madrid, Biblioteca Nacional, 489
membr., fol. I+128, mm 340*245, 2 col., saec. XIV
fol. 105v Inscriptio: „Incipiunt edicta fidei a Nicholao Ambianensi scripta domino papae Clementi. Prologus."
fol. 105v Incipit: „Clemens papa, cuius rem . . ."
fol. 111v Explicit: „. . . sic patet propositum."
fol. 111v Colophon: „Explicit liber de arte fidei catholicae."
sowie u. a.:
– Liber de causis
– Alanus de Insulis, Regulae caelestis iuris
Lit.: Inventario General de Manuscritos de la Biblioteca Nacional 1, Madrid 1953.

Sp = Madrid, Biblioteca Nacional 523
membr., fol. 22, mm 337*210, 2 col., saec. XIV
fol. 13v Inscriptio: „Incipit primus liber de articulis fidei a magistro Nicholao editus et a Clemente papa auctorizatus. Epistula ad Clementem papam."
fol. 13v Incipit: „Clemens papa, cuius rem . . ."
fol. 17v Explicit: „. . . sic patet propositum."
fol. 17v Incipit: „Potentia est vis . . ."
fol. 19r Explicit: „. . . iudicandis hominibus homo iudex."
sowie u. a.:
Alanus de Insulis, Regulae caelestis iuris
Lit.: Inventario General de Manuscritos de la Biblioteca Nacional 2, Madrid 1956.

T = Bibliothèque municipale, Tours, 247
membr., fol. 514, mm 152*104, 2 col., saec. XIII
fol. 179v Inscriptio: „Incipit liber de arte fidei catholicae editus a
Nicholao Ambianensi ad Clementem papam."
fol. 179v Incipit: „Clemens papa, cuius rem . . ."
fol. 185r Explicit: „. . . et omnes gratias."
fol. 185v Colophon: „Explicit."
sowie u. a.:
– Boethius, De hebdomadibus
– Liber de causis
– Gilbert von Poitiers, Expositio in Boetii de hebdomadibus
Lit.: Catalogue général des manuscrits des bibliothèques publiques de France. Départements, 37, Tours, Paris 1900.

U = Uppsala, Universitätsbibliothek (Frankreich), C 595
membr., fol. 98, mm 340*235, 2 col., saec. XIII–XIV
fol. 25r Incipit: „Clemens papa, cuius rem . . ."
fol. 29v Explicit: „. . . sic patet propositum."
fol. 29v Colophon: „Explicit." (i.m.)
fol. 29v Incipit: „Scientia est vis potentia est vis . . ."
fol. 31r Explicit: „. . . hominibus iudicandis homo iudex."
fol. 31r Colophon: „Explicit liber de articubis fidei."
sowie u. a.:
– Adam Pulchrae Mulieris, Liber de intelligentiis
– Liber de causis
Lit.: M. Andersson-Schmitt, M. Hedlund, Mittelalterliche Handschriften der Universitätsbibliothek Uppsala. Katalog über die C-Sammlung, Stockholm o.J.; M.-Th. d'Alverny,
Avicenna latinus, in: Archives d'histoire doctrinale et littéraire du moyen âge 36 (1969)
243–280.

V = Venedig, Biblioteca Nazionale Marziana, lat. VI 44 (2846)
membr., 2 col., saec. XIV
fol. 91r Incipit: „Summa charitas, humilitas, iustitia . . ." (Ars II, 3)
fol. 100r Explicit: „. . . sic propositum patet."
fol. 100r Colophon: „Gloria honoris sit tibi regi decoris. Amen"
Lit.: J. Valentinelli, Bibliotheca manuscripta ad S. Marci Venetiarum 4, Venedig 1871.

Z = Zagreb, Metropolitanbibliothek, MR 97
membr., fol. 190, mm 189*142, 2 col., saec. XIII–XIV
fol. 137v Inscriptio: „Incipit prologus in arte fidei catholicae editus a
magistro Alano."
fol. 137v Incipit: „Clemens papa, cuius rem . . ."

fol. 151r Explicit: „. . . sic patet propositum."
fol. 151r Colophon: „Explicit liber de arte fidei catholicae."
fol. 151r Inscriptio: „Incipit liber magistri N. Arabianensis de arte fidei catholicae."
fol. 151r Incipit: „Potentia est vis . . ."
fol. 156r Explicit: „. . . iudicandis hominibus homo iudex."
fol. 156r Colophon: „Explicit liber magistri N. Arabianensis de arte fidei catholicae."

Lit.: C. Balić, Les anciens manuscrits de la Bibliothèque métropolitaine de Zagreb, in: Studia mediaevalia in honorem A. R. P. Raymundi J. Martin, Brügge 1948, 462–466; ders., De auctore operis quod „Ars fidei catholicae" conscribitur, in: Mélanges Joseph de Ghellinck 2 (= Museum Lessianum – Section historique 14) Gembloux 1951, 793–814.

Zu = Zentralbibliothek, Zürich Car. C. 169 g

membr., fol. 20, mm 190*135, 2 col., saec. XIV–XV

fol. 13v Inscriptio: „Incipit ars fidei catholicae. Incipit prologus."
fol. 13v Incipit: „Clemens papa, cuius rem . . ."
fol. 20v Explicit: „. . . sic propositum patet."
fol. 20v Colophon: „Explicit. Amen."

Lit.: L. C. Mohlberg, Katalog der Handschriften der Zentralbibliothek Zürich, Zürich 1951.

2.2 Den Editionen nicht vorliegende erhaltene oder verlorengegangene Handschriften

In der von B. Pez veröffentlichten und von Migne nachgedruckten Edition der *Ars* werden insgesamt vier Handschriften zu dieser Schrift genannt, von denen zwei nicht gefunden werden konnten, zum einen ein Manuskript, das nach Pez im Besitz der Regularkanoniker von Tongern (Belgien) gewesen ist, und zum anderen eine Abschrift aus dem Kloster Gaming (Nieder-Österreich).[114] Bei den beiden anderen Handschriften, die zur Verfügung standen, handelt es sich um L und Mun. Ferner gelang es nicht, aus der Kapitelbibliothek von Toledo eine Kopie des Ars-Textes zu erhalten, die den Text in einer verkürzten Form überliefert.[115]

---

[114] Die Bibliothek von Gaming ging nach Aufhebung des Klosters in den Besitz der Wiener Hofbibliothek über. Eine Nachfrage bei der Österreichischen Nationalbibliothek Wien ergab, daß in den dortigen Katalogen der Handschriften- und Inkunabelsammlung ein Nachweis fehlt. Zudem gibt es keine Gewähr für eine vollständige Übernahme des Materials durch die Hofbibliothek.

[115] Vgl. d'Alverny (4).

3 Die Editionen

3.1 Ars fidei catholicae

p = B. Pez, De arte seu articulis catholicae fidei. Libri quinque, in: Thesaurus Anecdotorum novissimus 1, Augsburg 1721, Sp. 476–504, wiederabgedruckt in: Patrologia, ed. J.-P. Migne. Series Latina 210, Turnholt 1855, Sp. 595–618. (Der Text ist auf der Grundlage von Mun und der erwähnten Handschrift aus Gaming erstellt.)
– C. Baeumker, Handschriftliches zu den Werken des Alanus, in: Philosophisches Jahrbuch 6 (1893) 163–175. (Baeumker bietet eine Zusammenstellung der Textstellen der Ausgabe von Pez, die er auf der Grundlage von H und L korrigiert hat.)

3.2 Potentia est vis

b = C. Balić, De auctore operis quod „Ars fidei catholicae" conscribitur, in: Mélanges Joseph de Ghellinck 2 (= Museum Lessianum – Section historique 14) Gembloux 1951, 793–814 (Der Text ist auf der Grundlage von H, R, Sp, Z erstellt; L ist Balić bekannt, wurde aber von ihm nicht kollationiert, weil sie unvollständig ist).
– C. Baeumker, Handschriftliches zu den Werken des Alanus, in: Philosophisches Jahrbuch 6 (1893) 416–429 (Edition von Teilen des Textes auf der Grundlage von H und L)

4 Das Verhältnis der Handschriften untereinander

4.1 Ars fidei catholicae

Die *Ars fidei catholicae* liegt in einer ungewöhnlich hohen Zahl von 54 Abschriften vor, deren Fundorte über fast ganz Europa verstreut sind. Geht man von den Datierungsangaben der Codexbeschreibungen aus, so verteilen sich die Manuskripte über den gesamten Zeitraum vom 13. bis zum 15. Jahrhundert. Die einzige Ausnahme bildet Obe, eine Kopie der Handschrift Ob, die erst im 17. Jahrhundert angefertigt worden ist. Der größte Teil der Textzeugen stammt aus dem 14. Jahrhundert. Etwa gleich hohe Anteile sind dem 13. und dem 15. Jahrhundert zuzuweisen. Diese Merkmale lassen zum einen auf einen hohen allgemeinen Bekanntheitsgrad und infolgedessen auf eine große Verbreitung der Schrift sowie zum anderen auf eine zeitliche Kontinuität ihrer Überlieferung schließen.
Um die Qualität der vorliegenden Textversionen im einzelnen beurteilen und um sich damit ein detaillierteres Bild von der Überlieferung der *Ars fidei catholicae* machen zu können, wurden die Handschriften in

einem ersten Schritt auf äußere Textmerkmale hin untersucht. Als Ergebnis läßt sich – dies sei vorab gesagt – festhalten, daß einerseits der bereits bestehende Eindruck von der Einheitlichkeit der Überlieferung bestätigt wurde, daß sich aber andererseits keine eindeutigen Hinweise auf Abhängigkeitsverhältnisse zwischen bestimmten Textzeugen abzeichneten. Infolgedessen kann, wenn im folgenden die Einzelergebnisse der Untersuchung referiert werden, bei der Benennung der einzelnen Merkmale in der Regel darauf verzichtet werden, die jeweiligen Manuskripte eigens zu nennen.

Von den vorliegenden 54 Fassungen sind acht (A, Li, Oba, Obo, Ox, Oxb, Rom, V) unvollständig, wobei Li und Oxb an derselben Stelle im Prolog abbrechen. Die Handschrift Ar scheint den ganzen Text gehabt zu haben, im Codex fehlt jedoch ein Blatt (fol. 114). Drei Manuskripte (As, Obo, Ome) enthalten fremde Texteinschübe, bei denen die Schreiber nicht versucht haben, sie in das Ganze einzugliedern. Demgegenüber hat die Handschrift T, die ebenfalls einen Zusatz hat (*Liber de causis* XX, ed. Magnard 70), diesen als achtes Theorem an das Ende des fünften Buches gesetzt. Im Sinne einer Erweiterung des Textumfangs der *Ars* muß auch der Umstand gewertet werden, daß die Manuskripte R und Ome *Potentia est vis* als zur *Ars* zugehörig ausweisen, R indem es diese Schrift als sechstes Buch, Ome indem es sie als zum fünften Buch der *Ars* zugehörig überliefert. Bei Sp ist der Fall nicht ganz eindeutig. Zwar wird auch hier *Potentia est vis* als sechstes Buch bezeichnet, allerdings erfolgt diese Zuweisung wahrscheinlich von anderer Hand. Eine solche Erweiterung des Textumfanges der *Ars* um ein Buch widerspricht eindeutig der Aussage des Prologs. Interessant aber ist, daß die Handschrift A hier eine Ausnahme bildet, wenn sie in ihrer Fassung des Prologs sechs Bücher nennt, die den Text der *Ars* umfassen, wobei das sechste Buch, wie A ausführt, von der Trinität handelt. Über die einzelnen Inhalte dieses Buches kann aber für A nichts ausgemacht werden, da die Überlieferung dieser Handschrift – wie erwähnt – im zweiten Buch abbricht. Zu nennen ist ferner, daß Bu im ersten Buch am Ende der dritten petitio einen längeren Zusatz aufweist. Da es sich bei den petitiones wie bei den beiden anderen vorangestellten Satzgruppen nur um kurz gefaßte Sätze handelt, kann diese Textpassage nicht als ursprünglich, sondern nur als spätere Hinzufügung angesehen werden. Dieselbe Passage findet sich auch bei Ne, hier aber am Textrand notiert.

Die Unterschiede zwischen den vorliegenden Handschriften zeigen sich nicht nur in der Art und Weise der Überlieferung des reinen Wortbestandes, sondern auch anhand der Erfassung der Satzeinheiten und ihrer Abgrenzung untereinander, was für Texte, die sich wie die *Ars fidei catholicae* und *Potentia est vis* als Satzsysteme verstehen, gleichfalls von zentraler Bedeutung ist. Hier finden sich zahlreiche Abweichungen und Fehler.

Die überwiegende Mehrzahl der Handschriften bietet den Text aufgeteilt in fünf Bücher, denen ein Prolog vorausgeht. Im Gegensatz zu dieser üblichen Fünfteilung und zum Wortlaut des Prologs unterscheiden die Handschriften Ba und N lediglich drei Bücher, wobei sie das zweite und dritte und das vierte und fünfte jeweils zu einer Einheit zusammenfassen. Bei R umfaßt der Text der *Ars* aufgrund der Hinzunahme von *Potentia est vis* – wie gesagt – sechs Bücher. Zu vermerken ist ferner, daß Ome und Rom hinsichtlich einiger Textteile eine andere Reihenfolge bieten; ähnliches gilt auch für S, wobei sich hier zudem Textdoppelungen finden.

Mit Ausnahme des dritten Buches sind allen Büchern descriptiones vorangestellt, die auch als solche von den Abschreibern, ebenso wie die petitiones und communes animi conceptiones im ersten Buch, erkannt und von den theoremata deutlich abgesetzt werden. Anders liegt der Fall im abschließenden fünften Buch, dem nur eine descriptio vorausgeht. Hier haben eine Reihe von Handschriften diese zum ersten theorema hinzugezogen, was im übrigen auch in der Edition von Pez der Fall ist. Pez ordnet zudem die discriptiones, petitiones und communes animi conceptiones nicht dem ersten Buch, sondern dem Prolog zu.

Abweichungen finden sich ferner bei der Zuweisung der corollaria zu den propositiones. Ro beispielsweise gewichtet an einigen Stellen corollaria mit den sich anschließenden Ausführungen zur gesamten propositio als eigene theoremata, setzt also zwei Einheiten an Stelle von einer. Ein Teil der Handschriften unterscheidet jedoch durch Hinzufügung des Terminus „corollarium" genau zwischen der eigentlichen propositio und ihrem Zusatz. Bei den übrigen Manuskripten folgt das corollarium ohne jegliche Kennzeichnung unmittelbar auf den Text der propositio.

Neben der optischen Abgrenzung der Satzgruppen gegeneinander und der Satzeinheiten untereinander findet sich in sehr vielen Handschriften zusätzlich bei der einen oder anderen oder bei jeder Satzgruppe eine Zählung der Einheiten, was aufgrund der zahlreichen internen Verweise den Umgang mit dem Text sehr erleichtert. Sie erfolgt – nicht immer durchgängig – entweder im Text oder am Rande, wobei in einigen Fällen nicht zu entscheiden ist, ob sie von einer anderen Hand gesetzt ist. Eine solche Zählung wird entweder römisch oder arabisch vorgenommen, teilweise aber auch gemischt. Bei den theoremata wird manchmal ein abgekürzter Zusatz für „propositio" oder „theorema" hinzugefügt, manchmal eine Suffixangabe für Femininum oder Neutrum, der man dann entnehmen kann, ob der Abschreiber die gesamten Satzeinheiten als theoremata oder als propositiones bezeichnet.[116] Aber auch diese Angaben können in ein und derselben Handschrift variieren, so daß einerseits theoremata und andererseits propositiones gezählt werden.

Um über diese äußeren Merkmale der Textüberlieferung hinaus zu einer weiteren Differenzierung des Gesamtbildes der Überlieferungssituation der *Ars fidei catholicae* zu gelangen, wurden in einem zweiten Schritt an unterschiedlichen Stellen des Textes mehrere Probekollationen mit allen Handschriften vorgenommen. Diese Stichproben umfaßten den Prolog, die Stellen II,13–15, III,5 und den Schluß V,4–7. Hierbei zeigten sich wie zuvor bei der Untersuchung auf die äußeren Textmerkmale keinerlei Anzeichen, die darauf schließen ließen, daß es im Verlauf der Überlieferung der *Ars* irgendwelche größeren Umbrüche gegeben hätte. Vielmehr bestätigte sich auch hier, daß für den Text eine einheitliche Tradition angenommen werden muß, die eine verhältnismäßig sichere Kenntnis von Form und Inhalt des Textes bietet. Die wichtigsten Ergebnisse der Probekollationen seien im folgenden kurz referiert. Sie können überprüft werden anhand eines Textstückes, das im Anhang abgedruckt ist. Auf der Grundlage der Probekollationen wurde der Prolog hier mit Hilfe aller zur Verfügung stehenden Handschriften erstellt. Die Varianten sind in vollem Umfang dokumentiert.

Orthographische und grammatische Fehler sowie den Sinn und den Textbestand nicht berührende Inversionen bilden den größten Anteil der Varianten. Hinzu kommen kleinere und daher selten ins Gewicht fallende Wortomissionen und -zusätze, ferner einige Homoeoteleuta. Charakteristisch ist für die Handschriften sodann, daß die Varianten nicht sehr markant sind; vielmehr lassen sie sich alle mehr oder minder als Abschreib- oder Lesefehler erklären. Zudem weisen sie keine große Breite auf. Infolgedessen ist bei keiner der Handschriften eine bedeutende Sinnabweichung zu konstatieren.

Für die Varianten ist auch bezeichnend, daß sich nur begrenzt Regelmäßigkeiten aufweisen lassen. Einige Textzeugen kommen mit einem oder mehreren anderen hinsichtlich einiger Abweichungen zwar überein, gehen dann aber wieder bei anderen mit ganz anderen Handschriften zusammen und haben zusätzlich noch eine Reihe singulärer Varianten. Der größte Teil der Handschriften aber weist hinsichtlich der Abweichungen keinerlei festen Zusammenhang mit anderen Textzeugen auf. Eine mögliche Erklärung für diesen Befund wäre die An-

---

[116] Wenn D durchgängig von „theoremata" spricht, so deshalb weil er entgegen dem sonst üblichen Gebrauch den Begriff „propositio" zur Bezeichnung der descriptiones verwendet.

nahme, daß die Textversionen in hohem Maß kontaminiert sind, was angesichts der großen Verbreitung des Textes durchaus plausibel erscheint.

Angesichts dieser Situation erweist sich die Rekonstruktion des Traditionszusammenhangs der Handschriften mit Hilfe eines Stemmas zwar sicherlich als möglich. Dies würde allerdings bedeuten, daß man zu seiner Erstellung zum einen wenig aussagekräftige Varianten heranziehen und zum anderen aufgrund der übrigen Umstände eine nicht unerhebliche Anzahl fiktiver Textzeugen annehmen müßte, um die Abhängigkeitsverhältnisse eindeutig klären zu können. Aufgrund dieser Voraussetzung hätte ein Stemma im Blick auf den Überlieferungszusammenhang der *Ars* jedoch letztendlich nur eine geringe Aussagekraft. Es wurde daher bei der vorliegenden Edition darauf verzichtet, eine solche Rekonstruktion zu versuchen.

Dennoch sei, soweit sich verallgemeinernde Aussagen zum Zusammenhang der Handschriften untereinander machen lassen, zum Traditionszusammenhang folgendes gesagt: Eine Reihe von Textzeugen läßt sich jeweils zu Gruppen von drei bis fünf Handschriften zusammenstellen, die sich zumindest in der Regel als mehr oder weniger konstant erweisen. So bilden die Manuskripte E, Er und Erf eine Einheit, wobei der Zusammenhang zwischen E und Erf der engere ist, sowie Bu, Ir und Ne. Ko, L und Mun sind als weitere Gruppe zu nennen, ebenso D und Sp, denen man in vielen Fällen As, Ba und N beiordnen kann, sodann I und Ip, ferner M, Mu und Mue und schließlich die Gruppe Ar, Ro und S. In einer gewissen Abhängigkeit stehen zueinander auch H, Ia und Ome, zu denen in manchen Fällen E, K, Nk und Ox hinzutreten. T, U und V stimmen öfter überein, zu dieser Gruppe lassen sich manchmal auch Ca, O und Ob hinzuziehen. Die verbleibenden Manuskripte lassen, wie die Textprobe belegt, keine genaue Zuordnung zu.

4.2 *Potentia est vis*

Auch für diesen Text ist als Überlieferungszeitraum das 13. bis 15. Jahrhundert anzugeben. Im Unterschied zur *Ars* ist der größte Anteil der Abschriften jedoch etwa je zur Hälfte dem 13. und dem 14. Jahrhundert zuzuordnen.

Von den 13 Manuskripten bieten zwei (L, Ne) keinen vollständigen Text. Als selbständige Einheit ist diese Schrift in zehn Handschriften (Bas, D, H, Ir, L, Ne, O, R, U, Z) überliefert. Sie wird von H als „Liber de trinitate", von O als „Liber de filio dei" und von Z als „Ars fidei catholicae" bezeichnet. In diesem Zusammenhang sei noch einmal darauf hingewiesen, daß in R *Potentia est vis* als sechstes Buch zur *Ars* zugehörig gerechnet wird; dies ist auch bei Sp der Fall, allerdings erfolgt hier die Zuweisung wahrscheinlich von einer anderen Hand. Ome schließlich führt den Text als fünftes Buch der *Ars* auf. Wie bei der *Ars fidei catholicae* zeigen sich auch insofern Abweichungen in der Textüberlieferung, als die Abgrenzung der theoremata nicht in allen Fällen gleichlautend erfolgt.

Auffallend ist sodann, daß der Text im dritten Theorem bei der Bestimmung von generatio und corruptio auch Elemente verwendet, die sich bei Bu als Sondergut im Rahmen der descriptio von motus im ersten Buch der *Ars* finden. Man kann daraus entweder schließen, daß bei der Abfassung von *Potentia est vis* der Text der *Ars fidei catholicae* in der Fassung von Bu vorgelegen hat oder aber daß beide gemeinsam sich auf einen dritten Text beziehen.

Wie beim Text der *Ars* bieten auch die Textzeugen für *Potentia est vis* eine sehr einheitliche und geschlossene Überlieferung. Die Varianten sind auch hier nicht sehr markant, und ihre Breite hält sich in engen Grenzen. Bedeutende Sinnabweichungen sind gleichfalls nicht festzustellen. Ebenso läßt sich bei diesem Text beobachten, daß die Varianten von begrenzter Regelmäßigkeit sind, so daß auch hier lediglich Gruppierungen von Handschriften, nicht aber strikte Abhängigkeitsverhältnisse nachweisbar sind. Der Zusammenhang von D und Sp einerseits und Ir, R, Z andererseits erweist sich als vergleichsweise konstant. Die dritte und größte Gruppe wird gebildet von den Manuskripten Bas, H, Ne, O, Ome, Re und U. O und U sind eng miteinander verbunden, Re kommt hinzu, hat aber zahlreiche singuläre Varianten, da es den Text in einer im Vergleich zu den anderen Manuskripten sehr eigenständigen Fassung bietet. Diese Gruppe wird in vielen Fällen von Bas und Ome ergänzt, oft auch noch von H und Ne. Die Übereinstimmungen mit Ne sind aufgrund der zahlreichen Auslassungen entsprechend geringer. L läßt sich aufgrund der vielen Einzelvarianten nicht eindeutig einer der drei Einheiten zuweisen, wenngleich man zumindest negativ abgrenzend sagen kann, daß sie die größte Distanz zu D und Sp hat.

Aufgrund einer mit der Schrift *Ars* vergleichbaren Überlieferungssituation und des infolgedessen nur begrenzten Aussagewertes einer möglichen stemmatischen Rekonstruktion des Traditionszusammenhanges wurde darauf verzichtet, für *Potentia est vis* eigens ein Stemma aufzustellen.

5 Zur Texterstellung

5.1 Ars fidei catholicae

Für die Erstellung des Textes der *Ars* wurde in einem ersten Schritt als Leithandschrift zunächst die beste Textversion ausgewählt. Maßstab waren die folgenden Kriterien: sinngerechter Wortlaut, geringstmögliche Anzahl an Homoeoteleuta, zutreffende Unterscheidung der Satzarten, richtige Zählung insbesondere der theoremata, zutreffende Nennung der theoremata oder der anderen Satzarten bei internen Verweisen. Da das Merkmal des sinngerechten Wortlautes sich bei den meisten Handschriften nachweisen läßt, lag infolgedessen das Schwergewicht bei der Auswahl der Textzeugen für die Leithandschrift auf den übrigen, insbesondere aber den zuletzt genannten formalen Kriterien. Unter dieser Rücksicht erwies sich der Textzeuge Bu als beste Version. Als erste ergänzende Handschrift wurde Oma herangezogen. Hierbei handelt es sich um ein Manuskript, das einer anderen Traditionsgruppe als Bu zuzurechnen ist. Es reicht hinsichtlich des gewählten Maßstabes fast an Bu heran, ist aber beispielsweise bei den internen Verweisen ungenauer. Gegenüber Bu bietet Oma jedoch einen an vielen Stellen leicht knapperen Text, an denen Bu, um das Verständnis zu erleichtern, dem Text kleinere Zusätze wie „propositio", „libri" u. a. hinzufügt. Da ein solcher kargerer Text, wie er mit Oma vorliegt, der Gattung, der die *Ars* zuzuordnen ist, besser entspricht, wurde Bu an den entsprechenden Stellen auf der Grundlage von Oma korrigiert. Dies gilt insbesondere für die offenkundigen Zusätze von Bu in den descriptiones und den petitiones des erstes Buches.

Da die mit Bu und Oma erstellte Textversion noch einige, wenn auch nicht bedeutende Fehler aufwies, wurden, um auch diese zu beseitigen, noch vier weitere Handschriften herangezogen, wenngleich sie hinsichtlich ihrer Qualität hinter die beiden erstgenannten deutlich zurückfallen. Es handelt sich um die Textzeugen B, Erf, Ne und Ro. Erf und Ro gehören jeder in einen von Bu und Oma verschiedenen Überlieferungszusammenhang, was auch für B gilt. Ne weist dagegen – wie oben erwähnt – eine gewisse Verwandtschaft zu Bu auf. An einigen Stellen, wie dem genannten Zusatz in den petitiones des ersten Buches, hat sie eine der ursprünglichen Textfassung nähere Überlieferung, ist aber aufs Ganze gesehen – um es zu wiederholen – von deutlich schlechterer Qualität als Bu.

Auf die wohl entscheidendste Korrektur des mit Hilfe von Bu und Oma zunächst erstellten Textes durch diese vier Handschriften sei an dieser Stelle hingewiesen. Es handelt sich um die descriptio des Begriffs „accidens" zu Beginn des ersten Buches. Hier wurde im Gegensatz zur gesamten Textkonstruktion eine Fassung gewählt, die nicht auf den besten Handschriften basiert, sondern auf der Version von Ro. Dies hat seinen Grund darin, daß an einer späteren Stelle der *Ars,* an der diese descriptio zitiert wird, ein Wortlaut vorliegt, der am ehesten von der in Ro vorliegenden Fassung repräsentiert wird. Diese Selbstzitation zum Maßstab zu machen, war deshalb geboten, weil der Text der *Ars* auch sonst eigene Stücke im exakten Wortlaut zitiert.

Die Textaufteilung nach Büchern und Satzeinheiten orientiert sich ebenfalls an den gewählten Manuskripten. Die Zählung der petitiones, communes animi conceptiones und theoremata wurde in der Weise reguliert, daß römische Zahlzeichen verwendet wurden, da sie zum Zeitpunkt der Entstehung des Textes die üblichen waren. Auf die gleiche Weise wurden die Stellen vereinheitlicht, an denen im Text auf andere Stellen der Schrift verwiesen wird. Bei der Zählung der theoremata ist den Zahlen kein Zusatz – weder „propositio" noch „theorema" – angefügt worden, weil dies von den Handschriften – wie erwähnt – uneinheitlich gehandhabt wird. Bu selbst zählt am Rand, arabisch mit und ohne Zusatz, und bei den Zusätzen wird teils „theorema" gewählt, teils „propositio", die Referenzstellen werden entweder ausgeschrieben oder römisch notiert. Oma hat eine im Vergleich dazu fast konstante Vorgehensweise: Die theoremata sind im Text gezählt, arabisch ohne Hinzufügungen, die Verweise erfolgen römisch. In der vorliegenden Edition sind die Referenzstellen im Text bis zur Zahl „elf" ausgeschrieben, ausgenommen an den Stellen, wo die Handschriften darin differieren, ob theoremata oder propositiones gezählt werden, also die Endungen der ausgeschriebenen Ordinalzahlen je nach Handschrift hätten unterschiedlich lauten müssen.

Ebensowenig wird in der Edition vermerkt, wie die Zählung positioniert ist, ob am Rand oder im Textteil. In der Regel steht sie bei B und Oma im Text, bei Bu, Ne und Ro am Rand, ebenso bei Erf in den wenigen Fällen, in denen Zahlzeichen gesetzt sind. Eventuelle Fehler bei der Numerierung werden vermerkt, ausgenommen bei der Handschrift Ro, die – wie erwähnt – eine erheblich abweichende Zählung aufweist, deren Notierung den Apparat unnötig belastet hätte. Dies gilt auch im Blick auf das Fehlen des Terminus „corollarium" vor der entsprechenden Satzeinheit bei Erf.

Wörter, die in den Handschriften am Rand oder zwischen den Zeilen stehen, sind nur dann mit in den Text oder den Apparat aufgenommen, wenn sie als inhaltliche Zusätze, als Verbesserungen oder als Wortalternativen gelesen werden können.

5.2 *Potentia est vis*

Da die Überlieferungssituation für *Potentia est vis* die gleichen Merkmale aufweist wie die der Schrift des Nikolaus von Amiens, konnte bei der Erstellung des Textes in der für die *Ars* beschriebenen Weise vorgegangen werden. Anhand der oben genannten Kriterien wurden die beiden Textzeugen D und Sp als Leithandschrift ausgewählt. Beide trotz des engen Zusammenhangs untereinander hierfür heranzuziehen, erwies sich als sinnvoll, da z. B. in grammatischer Hinsicht manchmal die eine Textversion, manchmal die andere leichte Vorzüge hat. Zur

Korrektur der verbleibenden Fehler wurde in der Regel auf die Manuskriptgruppe Ir, R, Z zurückgegriffen, sehr selten auf einen der übrigen Textzeugen. Um sich ein Bild von den Abweichungen machen zu können, die sich gegenüber der Edition von Balić auch hinsichtlich einzelner Lesarten ergeben haben, fanden im Apparat auch diese für die Texterstellung kaum hilfreichen Handschriften Berücksichtigung.

Hinsichtlich der Zählung der theoremata wird wie im Fall der *Ars fidei catholicae* verfahren, da hier dieselben Variationen vorliegen wie bei *Potentia est vis*.

5.3 Der Apparat

Der Aufbau des Variantenapparates orientiert sich bei beiden Editionen in erster Linie am Ziel des Gesamtvorhabens, der Erstellung eines philosophischen Lesetextes. Er ist negativ, d. h. er enthält jeweils nur die vom Text abweichenden Lesarten mit den entsprechenden Handschriftensiglen. Nicht notiert sind Inversionen, wenn sie für den Textsinn keinerlei Relevanz hatten. Ebenso wurden offensichtliche orthographische Fehler nicht angegeben, während orthographische Varianten bei Eigennamen Berücksichtigung fanden. Grammatische Fehler wurden dann nicht verzeichnet, wenn die verwandten Begriffe im Satzganzen überhaupt keinen Sinn ergaben. Ausgenommen von der letzten Regel ist der mitabgedruckte Probetext der „*Ars*", der auf der Grundlage aller zur Verfügung stehenden Handschriften erstellt wurde.

5.3.1 *Ars fidei catholicae*

An zwei Stellen des Textes (II,3 und II,20) sind bei den internen Referenzangaben Verbesserungsvorschläge der Herausgeberin im Apparat angegeben, da hier alle vorliegenden Handschriften auf theoremata verweisen, die als Belege der Argumentation zwar dienlich sind, statt deren man aber hätte noch geeignetere angeben können.

Da die Bedeutung der *Ars* wie auch des Textes *Potentia est vis* für die Philosophie und Theologie des 12./13. Jahrhunderts nicht darin besteht, vorliegende Traditionen aufgenommen und inhaltlich verarbeitet, sondern ihnen eine bestimmte formale Struktur auferlegt zu haben, wurde in beiden Fällen auf den Nachweis der aufgenommenen Traditionen verzichtet. Daß die beiden Texte sich selbst auch gar nicht als inhaltliche Auseinandersetzung mit der Überlieferung verstehen, zeigt sich zudem daran, daß beide auf andere Literatur keinen ausdrücklichen Bezug nehmen.

5.3.2 *Potentia est vis*

Dem Variantenapparat ist ein zweiter Apparat beigefügt, in dem zusätzlich zu den im Text gegebenen Angaben zu den Belegen aus der

Ars fidei catholicae die genauen Seiten- und Zeilenangaben der vorliegenden Edition der *Ars* notiert sind.

6 Zur Textgestaltung

Bei der Textgestaltung, der Auswahl der textkritischen Zeichen und der Herstellung des Apparates fanden die Empfehlungen der Union Académique Internationale und der Société Internationale pour l'Etude de la Philosophie Médiévale weitgehende Berücksichtigung.[117]
Da die Orthographie der Handschriften untereinander erheblich differiert, ist sie für die Herausgabe beider Texte reguliert worden.[118] Bei dem Probetext der *Ars fidei catholicae* der mit allen Handschriften erstellt worden ist, wurden lediglich die nichtassimilierten an die assimilierten Wortformen angeglichen.
Ebenso wurde die Schreibweise von c, t sowie die Verwendung von Doppelbuchstaben vereinheitlicht. Normalisiert wurde auch die Groß- und Kleinschreibung: Mit großem Anfangsbuchstaben wurden geschrieben: Satzanfänge, Eigennamen und von ihnen abgeleitete Adjektive. Die Kommasetzung erfolgte sparsam.
Im Apparat richtet sich bei Bu und Oma in Abgrenzung zu den anderen Manuskripten die Reihenfolge der Varianten in einer textkritischen Einheit sowie die Reihenfolge der Handschriftensiglen bei Variantengleichheit von mehreren Handschriften nach der oben erwähnten Rangordnung der Manuskripte. Im Kontext mit den übrigen Handschriften werden sie auch stets als erste genannt. Ansonsten erfolgt die Nennung der Textzeugen in der alphabetischen Reihenfolge ihrer Siglen.

---

[117] Bidez, Drachmann; Dondaine (1). Vgl. ferner Dondaine (2); Maas; Verbeke und Contenson.
[118] Vgl. K. E. Georges, H. Georges, Ausführliches lateinisch-deutsches Handwörterbuch, 2 Bde., 8., verb. u. verm. Aufl., Nachdr. Darmstadt 1988.

7 *Probetext der Ars fidei catholicae auf der Grundlage aller zur Verfügung stehender Handschriften*

Incipit liber de arte fidei catholicae.
Clemens papa, cuius rem nominis et vitae subiecti sentiant, et tu a
domino consequaris zelum scribentis, hoc opus tuo devotum nomini   5

3 Incipit . . . Explicit prologus] *om.* ObaV ‖ Incipit . . . catholicae] Incipiunt edicta fidei
catholicae a Nicholao Ambianensi scripta domino papae Clementi prologus Ar Liber
Michaelis Scoti canonici Ambianensis de articulis fidei confirmatus a Clemente papa E
De articulis fidei catholicae. Alanus. Ba De articulis fidei Ia Nicholai Arabici de arte fidei
libri quinque ad Clementem papam. Obe Iste liber est beati Clementis de quo beatus
Paulus scribit cum Clemente et ceteris auctoribus . . . Obo Incipiunt de articulis fidei. De
articulis fidei. Incipit Ox Sequitur de articulis fidei i.m. andere Hand? Re *om.* AsBrCErfF
HIrLiOmeOxbPRRomU p ‖ Incipit] Incipiunt RoS ‖ liber . . . catholicae] sequentius operis Ad libellus qui dicitur ars fidei Cc prologus in artem fidei catholicae editum a Nicholao Ambianense ad papam Clementem IV As ‖ liber . . . arte] Alanus de articulis L prologus in artem IpNkOma edita RoS ars ErZu tractatus (Alani *s.lin.*) super articulis B ‖
liber de] prologus in Z ‖ liber] tractatus Ko summa magistri Nycolai Ambianensis K
primus *add.* Mue Alani *add.* Mun Clementis papae *add.* Ob primus (magistri Alani *s.lin.*)
add. M (magistri Alani *s.lin.*) primus *add.* Mu primus *praem.* DSp ‖ arte] articulis ABas-
CaDMunNOObSp ‖ catholicae] liber primus B ab Augustino compositus Ca editus in
Erfordia ab egregio doctore sacrae theologiae Bartolomeo de Lusatia Ko editus a Nicholao confirmatus a Clemente papa III N a magistro Nicholao editus et a Clemente papa
auctoritatus. Epistula ad Clementem papam. Sp a (magistro *s.lin.*) Nicholao (Querche
i.m.) editus et a Clemente papa autoritatus. Epistula ad Clementem papam. D agens de
una omnium causa, id est de uno deo eodemque trino, XXX continens propositiones
add. MMuMue editus a Nicholao Ambianensi ad Clementem papam *add.* T editus a
magistro Alano *add.* Z editam a Nicholao Ambianensi *add.* Oma editam a Nicholao An-
drianensi *add.* Ip editam a Nicholao Ambianensi papae Clementi secundo anno domini
1050 *add.* Nk a Nicholao Ambianensi scripta domino papae Clementi prologus *add.* RoS
auctoritatus a domino ipso Romano Clemente IIIo prologus *add.* Ne Incipit prologus *add.*
Zu vel libellus de articulis fidei editus per . . . *(ras.) add.* Er *om.* ABasMunOOb   4 Clemens . . . prologus] *om.* Ox ‖ papa] *depr.* Oxb ‖ rem . . . sentiant] mens fere et certe in
substantiis servias Ca ‖ rem] rei Mue ‖ nominis et vitae] vitae et nominis Re ‖ et] *depr.*
Oxb ‖ vitae] in te CMMuMue inte Ro ita certe Ip ‖ subiecti sentiant] sentiant subiecti
KoL senciant subiecti Mun *lac.* Obe ‖ subiecti] subiecte Ad subiectius Bu obiecti H sub-
erci K ‖ sentiant] scensiant Oma sensiant R sentient T *om.* OmeRom ‖ et] esse K *om.* IrS
‖ tu a] tua Li tuam Rom ‖ tu] *om.* ArBuCCaIpIrOboNeS ‖ a domino consequaris] consequaris a domino B   5 consequaris zelum] zelum consequaris Er ‖ consequaris] con-
sequarum R consequeris Obe ‖ zelum] celum H zelu Oxb selum P scelum Zu ‖ scriben-
tis] scripbentus (!) Br scribentes Ia scribenti KoL scribens Ip scribendi P et *add.* O ‖
opus] est *add.* Cc ‖ tuo] tuum AAs tui Ca quo F ‖ tuo devotum] devotum tuo EErfZ ‖
devotum] devotius Ad devotare Ca devoto BrErFNOmeU devovi Ko tuo *add.* R ‖ no-
mini] nomen A honoris Ca nominis Obo

benignus attende. Partes occidentalis imperii tot sectarum haeresibus corruptas officiosissime contemplatus, aegre sustinui adeo invalescentem merito peccaminum in confessione Christiani nominis corruptelam, cum ad instar cancri serpens et palam iam se prodere non formidans ecclesiae scandalum grave pariat et irreparabile detrimentum.

1 benignus] benigne Bu benignius HIrOmeOxb devotus P beningnius dub. Br ‖ attende] actende BaE attendere H intendere K attendenderis Ko adtende MunZu accedere Obo assumme Z intende Li attenderis Obe ‖ occidentalis] occidentales CIpIrKKoNk ObeOmeRRe orientalis ORom vel orientalis add. Ia ‖ imperii] imperiiur Li ‖ tot . . . corruptas] tot sectarum corruptas haeresibus i.m. U ‖ sectarum] septarum Ca sectorum H sectariorum Obe sectarorim dub. Br ‖ haeresibus corruptas] corruptas haeresibus AdAr AsBBaBrCCaCcDEErErfIIpKKoLLiMunNNeNkO- ObObeOboOmaPRRomSpTZ p corruptat haeresibus A eruptas haeresibus F corruptos haeresibus Ia corepias haeresibus Oxb corruptis haeresibus ArRoS corrupte haeresibus Zu ‖ haeresibus] om. Re   2 corruptas] om. HIr ‖ officiosissime] ferocissime Ca officiose Er offensione LMun p affectuosissime MMuMueZ afficiosissime E om. Ko ‖ contemplatus] contemplaris IrLi contemplatis Oxb contemplatur Re ‖ aegre] egregie Ba om. Ca ‖ sustinui] substinui BuObo inst . . . Rom sustimuit Br sustinti Ko ‖ invalescentem] invalescere Ca invalescente CcEEr ErfMueOOxbRRomU inconvalescentem in F idest add. ArS   3 merito peccaminum] peccamine merito MMuMue ‖ merito] iterato H immerito Obe ‖ peccaminum] primo canimum H peccantium AdCcL praedanimum Obe peccamimis Re praemium praecantium corruptelam Obo ‖ in confessione] confusione AdCc ‖ confessione] conferre ipsam Ca ‖ Christiani nominis] nominis Christiani Cc ‖ Christiani] Christi HKoL MunOmeOxbP p Christianam C ‖ corruptelam] corruptebam Ca corruptionem Ko corumptelam Ob corruptam O corruptellam Bu   4 cum] eum Ia ut R haec add. Bu ‖ ad] om. Er ‖ instar] instans Nk ‖ cancri] cancer BasCaIIaOme cacrii Oxb tam Rom tantus Z tanti Li cau/veri U ‖ serpens] serpentis AHI in se add. EErf ‖ et . . . prodere] et se palam prodit Ba et se palam prodere O ‖ et . . . se] esse palam Ad ‖ et palam] depr. Er i.m. U ‖ et] om. Ko ‖ palam iam se] se palam EErfRom iam palam se Ko iam se palam DNOxbSpTZ ‖ iam . . . formidans] non iam formidans se perdere AI prodire iam se formidans Nk se non formidans iam prodere et As non iam formidans se prodere BLi ‖ iam . . . non] se iam prodire palamque se perdere Er ‖ iam se] sese iam Br se iam L ‖ iam] om. ArMueRoS ‖ se . . . formidans] formidans se prodere Zu ‖ se] om. Re ‖ prodere] perdere BasOmeU proferre KoLMun p pedere Oxb ‖ non] nec H   5 ecclesiae . . . pariat] et grave scandalum pariat ecclesiae EErfO et scandalum pariat ecclesiasticae Rom ‖ ecclesiae scandalum grave] grave scandalum ecclesiae Ad et grave scandalum ecclesiae BaDNSp ‖ ecclesiae] iam se Ia ecclesiasticae R ‖ scandalum grave] grave scandalum AsLZu ‖ grave pariat] paruat grave Ome pariat grave U ‖ pariat] pareat Ob ‖ et] depr. N ‖ irreparabile] ineffabile vel irreparabile A irrecuparabile AdCcHKoLMunOmeP inseparabile Ca irremediabile Er irreprobabile FIp irrecuperabile BK p inrecuperabile U intollerabile ObObe incomparabile Oxb reprobabile As irreprobabile Li irresolcusabile dub. Br irreparabile (cu s.lin.) O ‖ detrimentum] determinatum F detrementum Ko

Ceterum terrae orientalis incolae ridiculosa Machometi doctrina seducti his praecipue temporibus non solum verbis sed armis professores Christianae fidei persequuntur.

Ego vero cum viribus corporis non possim resistere, temptavi saltem rationibus eorum malitiam impugnare. Porro sancti patres Iudaeos a 5 pertinacia, gentiles ab erroribus virtute miraculorum recedere facien-

---

1 Ceterum] ceteris A sed quando Nk ceterim O cetera Oxb dub. Ca centrum i.m. U ||
terrae] certe I curae Obe teri Zu ecclesiae As || terrae orientalis] orientalis terrae N ||
orientalis] origentalis P dub. Obo || incolae] unicole vel in cole iam coavi Ca inculae Ir
incolo Z incola Ia || ridiculosa] radiculosa IrMue ruricola L rediculosa OxbR ridiculasa B
rudicula Re || Machometi] Machomet ABIIpIrMMuMueONe Machmet Bas et Ca Maho-
meth F mea comet H Macomedi Ia Macometi ArKRoS Mathomethi Mun Mahometi N p
Mahomet AdOma Indometi Ome amast homeri Oxb comet P Mathomea R Macomiti
Rom Machonica Zu Mahommet Br Mailmeti U Machonite Re Manichaei Cc || doctrina
seducti] seducti doctrina EErfRom seducti cleetrina (!) Obo || doctrina] cloetrina (!) C ||
seducti] seductis Ca seducmcti U seducte Re   2 his praecipue temporibus] praeci-
pue temporibus his AdEr praecipue temporibus istis BaDNSp || his praecipue] maxime
his NkT || praecipue . . . verbis] temporibus non praecipue solum p || praecipue tempo-
ribus non] temporibus non praecipue Mun || praecipue temporibus] temporibus praeci-
pue L || praecipue] praesupue *dub.* Br || solum] solis Ko non solis *add.* Ob || verbis] *om.*
LMun p || sed] ibi O et *add.* ErIaKKoLMunR p etiam *add.* AdBaCcDEErfLiNSp etiam
s.lin. add. U || armis] asiud (!) Ba animis vel armis Ia arrius L inarmis Rom omnis Re ||
professores Christianae fidei] Christianae fidei professores BaDEErfNSp catholicae fidei
professores ORom || professores] professoribus Mue profensores Ar professiones
Ko   3 Christianae fidei] fidei Christianae P || persequuntur] prosequuntur BasErfIp
OOxb persecuntur ArAsBaBuCaDErIaIrKLMuMunNeOboPRRoS prosecuntur Zu pro-
sequantur HOmeRomT persequitur U consequantur Re persecuntur *i.m. I* persequantur
Cc   4 vero] autem AdBaCcDEErErfHIaKKoLMunNOOmePRomSp p autem (ut *s.lin.
add.*) U || cum] *s.lin.* Ro || viribus] mei *add.* T || corporis] corporeis Bas coporibus Oxb
om. DErLiSp || non possim resistere] resistere non valerem Ad resistere non possum BaN
resistere non possim DSSp || possim] possem AAsBBasIKU possum ArFHKoMunNeNkO
OboOmePRReRom p posse Ia potens MMuMue solum Oxb || temptavi] certamen A
temptabo R || temptavi saltem] saltem temptavi Ca || saltem] tamen AdArRoS et cetera
et Oxb sartem Ob *om.* KoLMunO p *depr.* N   5 rationibus eorum malitiam] malitiam
eorum rationibus AdKoLMun p || eorum] illorum T *om.* ArReRoS || eorum malitiam]
malitiam eorum F arroganciam Er || malitiam] malignam D malitias CcK malitiae Obe ||
impugnare] impungnare OmeS repugnare Obe || Porro] oro Ir sed Zu || patres] patris A
patrum Li || Iudaeos . . . gentiles] a pertinacia gentiles Iudaeos O || Iudaeos a pertinacia]
a pertinacia Iudaeos EErfRom || a pertinacia] ad pertinentia A a pertinantia Ia apersidia
Oxb sua *add.* MMuMue || a] ac D perfida *add.* B   6 gentiles] *dub.* Obo || erroribus]
horroribus K || virtute] virtutibus Zu || miraculorum] miniculorum Ia   6 rece-
dere . . . ampliaverunt] *om.* Re || recedere] recondere Ba prece ecclesiae Ca residere
Oxb || facientes] *depr.* Oxb

tes, auctoritatibus veteris et novi testamenti productis in medium comprobatam fidem catholicam ampliaverunt. Sed nec miraculorum gratia mihi collata est nec ad convincendas haereses sufficit auctoritates inducere, cum illas moderni haeretici aut[a] prorsus respuant aut[b] pervertant.

Probabiles igitur nostrae fidei rationes, quibus perspicax ingenium vix possit resistere, studiosius ordinavi, ut qui prophetiae vel evangelio

1 auctoritatibus] auctoribus AIaObeU autoritatibus AsBC auctibus Rom actoribus Li *depr.* Oxb || veteris et novi] novi ac veteri Ad novi et veteris EErfHOmePU no et ve Rom veterisque novi FOxb || veteris] *i.m.* Ko || et] ac CcBIMMuMueR *om.* BuIr || novi] *om.* BuIr || productis in medium] in medium productis DSp || productis] prodentes R productes Ia producas Ome prodictis Li || in medium] *s.lin.* U || in] *om.* Li || comprobatam] cumprobatam ALi comprobatum AdMMuMue approbatam BaBas aprobatam Zu et prolio confessione Ca probatam DSp ⟨con *s.lin.*⟩ probatam U *depr.* N   2 catholicam] *om.* HKoLMunOmeP p || ampliaverunt] ampliarunt BrBuCcEErfErfFIaIpIrMMuMueNeNk OObObeOmaRomSTUVZ applicabant H approbarunt Obo appliarantae (!) Oxb || Sed . . . miraculorum] *om.* Re || Sed] si F || nec] necessario A *om.* ArRoSZu || gratia . . . est] mihi collata est gratia Ba || gratia mihi] mihi gratia AsBEr || gratia] gratiam IpAr   3 mihi . . . prologus (finis)] *om.* Oxb || mihi . . . introductae] *om.* Li || mihi] *om.* ArRoS *depr.* N || collata est] est collata Ip || collata] cessata A colata I collocata O non *add.* Zu || est] *om.* HLMunOmeP p || nec] neque F || ad] *om.* H || convincendas] numerandas A convincendum Ad vincendas ErHKKoLMunOmeP p convincendos Ia convincandas Rom ⟨con *s.lin.*⟩ vincendas U est *add.* N || haereses] haeresis Ia possum Ko *om.* Ir || sufficit auctoritates inducere] inducere sufficit Cc || sufficit] sustiterit A confisus eis Ad sufficiunt Ir sufficere Ko sufficio R || auctoritates] auctoritales Ko autoritates BCObe auctores Ba || auctoritates inducere] aductione auctoritates Ca   4 inducere] introducere K includere Rom *om.* Ir || cum . . . pervertant] causa illas inducere moderini aut prosus respuant aut pervertant haeretici Ome || cum] et Zu ad *add.* Bas || illas] istas Ca eas Ia illos Mue illam O || moderni haeretici] haeretici moderni BaEr || moderni] in modum O modia Rom *om.* As *lac.* D *lac.* dicti *add.* Sp || haeretici] haeresis A haeredici E *om.* AdH *s.lin.* U || aut[a] prorsus] prorsus aut U || aut[a]] haut Ob *om.* CaObe || prorsus] penitus Ir proorsus P || respuant] respiciant Rom respuunt Zu || aut[b]] haut Ob hanc Obe *om.* Re || pervertant] pronotant R prosternunt proiciunt Rom pervertunt Zu haeretici *add.* H *depr.* N   6 Probabiles] comprobabiles F probationes Ko *om.* Ca || igitur] ergo AsBBaDErNSp vero ORom *om.* CaFT || nostrae fidei] fidei nostrae AsCcLMun p i.m. U || nostrae] nice Rom in se O *om.* FKo || fidei] nostrae *add.* A || quibus] quas Obe qui *add.* Ko || perspicax] prospicax KoMun || ingenium] nulla ingenii Ca inienium D ingenuum H || vix] vis Re *om.* Ca   7 possit] posset BasHKMuOmePTU || resistere] desistere T insistere M sufficere (resistere *corr. i.m.*) U || studiosius] studiosus CCaEErfFIrNkOboReRomT studio suis O || ordinavi] ordinari ACc ordinare Ca ordinantur Zu || ut] *s.lin.* T || qui] quid A quae Obe || prophetiae] prophetis AAsIa prophetice FIp prophetiis Mu philosophiae Obe || vel] aut ABIObObe et AdBasIrMMuMue in Ko pro LMun || evangelio] evangeliis BasHOmeU elbanio Ko euvangelio IpMuOPRomZ

contemnit, acquiescere humanis saltem rationibus inducatur. Hae vero probationes etsi hominem ad credendum inducant, non tamen ad fidem plene capescendam sufficiunt. Usquequaque fides enim non habet meritum, cui humana ratio experimentum praebet ad plenum. Haec enim erit gloria nostra perfecta scientia comprehendere, quod nunc quasi per speculum in aenigmate contemplamur. Porro, cum

1 contemnit acquiescere] quiescere acquiescere contemnant Ko acquiescere contemnunt LMun p ‖ contemnit] contemnunt AAdAsBBaEErfIKMMuMueNPSpUZu condemnat Rom percipiunt O *om.* ObObe ‖ humanis saltem rationibus] saltem rationibus humanis *ver. et corr.* U ‖ humanis] *dub.* Obo ‖ saltem rationibus] rationibus saltem BasHObObe Ome ‖ saltem] salutem AdKo ‖ rationibus inducatur] inducantur rationibus As ‖ inducatur] inducantur AAdBBaDEErfFIKKoLMuMueMunNOOboPRomSpU p ducatur Z inducitur Nk ‖ Hae vero probationes] probationes hae F ‖ Hae] si haec Obo haec RT ‖ vero] rationes AAd ergo B verbo Rom   2 probationes] rationes BaBuCcIrKoLMunNk ORe p propositiones Ia rationes vel probationes T ‖ etsi] quod F *om.* ArKoLMunS p ‖ hominem] homines AsBasCcDErIaKKoLMunNOmeOboPReSpTU p omnes H ‖ ad credendum inducant] inducant ad credendum ArAsBaNS ‖ inducant] inducat Rom inducunt Cc ‖ non] *om.* CcEr ‖ ad fidem] *om.* ObObeZu ‖ fidem . . . sufficiunt] capescendam fidem sufficiunt plene As   3 plene capescendam] capescendam plene BaKoLMunT p ‖ plene] bonus *dub.* Obo *om.* Cc ‖ capescendam] capessandam CaH compensindam Ir compessandam OMueRom captandam Ob ad captandum Obe compensandam Ome capescondam Re *om.* R ‖ sufficiunt usquequaque] usquequaque sufficiunt ErT ‖ sufficiunt] sufficient Ko sufficiant MMue ‖ Usquequaque] usquoque Ca usquequa Ir usque quam Ob usquequam Nk usquam ORom usque quam (plene *s.lin.*) Mun ‖ enim] etenim LMun p autem ArRoS ‖ habet] habent Cc   4 meritum] meritam D ‖ cui] ubi As BasHNkPZ nisi Ome cum IrKoObe cui *add.* A ‖ humana ratio] ratio humana FKoLMun p ‖ ratio experimentum praebet] praebet ratio experimentum N ‖ ratio] *om.* Rom ‖ experimentum . . . plenum] ad plenum praebet experimentum ABasIKoLMunNkPT p ad plenum probat experimentum B praebet ad plenum experimentum HKOme ‖ experimentum praebet] praebet experimentum AdAsBaCaCcDEErErfFIa MMueOObObe-OboRReRomSSpUZZu praebet *(i.m.)* experimentum Mu ‖ ad plenum] scilicet *praem.* Cc *om.* DIaMMuNORomSpZZu ‖ ad] *om.* U   5 Haec] hoc BZu ‖ enim erit] erit enim U ‖ enim] etenim LMun p *om.* AsKo ‖ erit gloria nostra] nostra erit gloria AsDNSp gloria nostra erit Ia ‖ erit] est Cc *om.* KoOme ‖ gloria nostra] nostra gloria BaCcErKP ‖ nostra] una Ca in patria *add.* Z ‖ perfecta scientia comprehendere] comprehendere perfecta scientia Ia ‖ perfecta scientia] scientia perfecta CaRe perfectam scientiam Obe ‖ perfecta] perfectam Rom perfecte S *om.* Nk ‖ scientia] scientiam Rom scientiae Z tunc *add.* K ‖ comprehendere] in patria *add.* Mun p fidem *add.* M ‖ quod] quae AsBaEErfOboP Rom quoniam Obe quia Ir quem Cc quae (nisi licet quod *s.lin.*) O   6 nunc quasi] quasi nunc Ne ‖ quasi] propria Ca *om.* RT ‖ quasi . . . contemplamur] in aenigmate quasi per speculum videmus et contemplamur Bas in aenigmate quasi per speculum videmus et contemplamus Ome ‖ per . . . aenigmate] in aenigmate per speculum KoL MunU p ‖ speculum] et *add.* KMMuMueT ‖ in aenigmate contemplamur] contemplamur in enigmate ArBaCDEErErfNORoRomSSp ‖ contemplamur] contemplamini ObObe contemplamus F videmus et contemplamur MMuMueU ‖ Porro] *om.* Ca ‖ cum] tamen A tu Ia iter et *add.* F *om.* Ip

Christi vicarius et Petri apostolorum principis sis successor, tua interest
in omnem terram semen verbi catholici propagare. Unde titulo tui nominis decuit opus istud ascribi, ut ubicumque lectum fuerit, excellentiae tuae meritis accrescens auctoritas efficacius moveat inspectores.
5 Nempe hanc editionem artem fidei catholicae merito appellavi. In mo-

1 Christi . . . successor] Petri apostuli sis successor et Christi vicarius Er ‖ vicarius . . . sis] sis vicarius et Petri principis apostolorum DSp ‖ vicarius] incarnati Ca vicarii
MMuMue ‖ et . . . sis] sis et Petri apostulorum principis BasKZu sit et pct . . . apostolorum principis Ome sis Petri apostuli KoLMun p sis et Petri principis apostulorum AsBaN
sis et Petri et Pauli apostulorum eius principum P sis (et *s.lin.*) Petri apostulorum principis U ‖ et . . . principis] *om.* MMuMue ‖ Petri] Christi Cc et Pauli *add.* Re ‖ principis]
princeps Ad praecipuus F *om.* NkReT ‖ sis successor] successor sis AdBBrFIIpNkOmaR-
ReTZZu successor est A successor sic simul Ca ‖ sis] sic ArRom *om.* H ‖ tua] cui Re tria
O *om.* Rom *s.lin.* R ‖ interest] inter Ad est B interest *add.* Oma providentia *i.m. add.*
U   2 in] et Ba *om.* AdCa ‖ omnem terram] omni terra FT ‖ semen] semel Obo
sanctum Ome *om.* Ca *s.lin.* U ‖ verbi catholici] catholici verbi BasHKOOmeP catholici
verbi (dicitur *s.lin.*) U ‖ verbi] *om.* AAd ‖ catholici] dei AsBaDNObObeSp catholicae
Mue ‖ propagare] publicare sive prorogare Bas puplicare OmeU propalare H propallare
P seminare ORom seminare propagare Ba et seminare vel propagare EErf praedicare
propagare Obo *i.m.* K ‖ Unde] in *add.* B ‖ titulo] desidero R tytulo KLP ‖ tui] tuo Ba *lac.*
add. Obe ‖ tui nominis] nominis tui Ia *om.* N   3 decuit] docuit ARom decui Ad
BrCcOma devovi BasDErHIaMMuMueMunNNkOObeOmePRReSpTZ p deterrui Ko vo-
lui L deciunt/decuint Ro devovi (vel decuit *s.lin.*) U devovi *s.lin.* Ob ‖ opus istud] istud
opus AdAsBasBrCCcErfIrKLMMuMueMunNOObObeOmaReRoSSpTUZ p illud opus
ArEErFNkRom tibi opus Zu ‖ opus] operis N *om.* Ca ‖ istud] *om.* Obo ‖ ascribi] describi
ascribi A describi Mue ascribuit O conscribi As *om.* DNSp *i.m.* U ‖ ut] *om.* HO ‖ ubicum-
que] utrumque A quicumque Ca quocumque Nk ubique R ‖ lectum fuerit] fuerit lectum
T ‖ lectum] lectus Ca ‖ fuerit] fuirit F ‖ excellentiae . . . auctoritas] *om.* DSp ‖ excellentiae tuae] tuae excellentiae Ad   4 tuae] tui ArRoSU *om.* KoLMunNk ‖ meritis] incer-
tis A meriti ArRoS scilicet *add.* F nominis (vel meritis *i.m. add.*) U *om.* MMuMue ‖ ac-
crescens] asserens A attendens Ca devescens Ia accedens K accressentis Rom accressens
Nk vel antecedens s.lin. *add.* U ‖ auctoritas] autoritas BCObe ‖ efficacius] efficacio Obe
‖ moveat] movi ad Ko ‖ inspectores] respectores F   5 Nempe] nampe I nemphe Ir
namque T ‖ hanc editionem artem] editionem harticulos (herudicionem i.m.) U ‖ hanc]
hac H vel articulas *add.* Ia ‖ hanc editionem] editionem hanc AAdArBBasBrCCcEErfF-
HIIaIpKKoLMMuMueMunNkOOmaOmePRReRoRomSTUZZu p edietionem hanc Obo
edictione *dub.* hanc Ca ‖ editionem artem] artem articulos Ba ‖ artem fidei catholicae]
fidei catholicae artem ABIZu artem catholicae fidei P ‖ artem] cartam Ca articulos AsN
dub. H ‖ fidei catholicae] catholicae fidei KoLMun p ‖ catholicae] apostolicae Rom Christianae Ar *om.* Cc ‖ merito appellavi] appellavi merito NeOme ‖ merito] erit Mun meruit ORom *om.* Cc praedicto *dub.* E *om.* ErHIaP ‖ appellavi] nuncupavi AsBaDNSp appellari IaRom appello KoL p appellari (merito appellandim *i.m. add.*) Mun nam *s.lin. add.* U
‖ In modum enim] nam in modum ArBaDErNSp ‖ In modum] immodum K

dum enim artis composita diffinitiones, divisiones continet et propositiones artificioso processu propositum comprobantes. Quinque vero libris distinctum est hoc opus, quorum primus agit de una omnium
causa, id est uno deo eodemque trino, secundus de mundi, angeli et
hominis creatione et arbitrii libertate, tertius de filio dei incarnato pro   5
homine redimendo, quartus de sacramentis ecclesiae, quintus de resurrectione. Descriptiones autem appositae sunt hac de causa, ut appa-

1 enim] autem A *om.* CaLMunObObe ‖ artis] *om.* Ome ‖ composita] compositam Ca
compositae KoL compositus Ome est *add.* Ip *om.* ObObe ‖ diffinitiones] et *add.* BasCaC
cErHOmePRUZu ‖ divisiones . . . propositiones] et propositiones continet DSp ‖ divisiones continet] continet et dirivationes E continet et divisiones ORom continet et divina-
tiones Erf ‖ divisiones] divitiones A distinctiones p petitiones As et petitiones *add.* K
communes aut conceptiones sive dignitates petitiones *i.m. add.* U *om.* NkReT ‖ continet
et propositiones] et propositiones continet NU nuncupavi et propositiones continet Ba ‖
et propositiones] *om.* As ‖ et] ac Er etiam *add.* AdMMuMue probationes *add.* Ia *om.*
S   2 artificioso] artificiose ARom artificio B compositum *add.* Nk ‖ processu] prop-
cessu(!) B successu CcHIaKoP p processum NkS progressu Z successi (pro *s.lin.*) Mun
om. Rom ‖ propositum comprobantes] probantes propositum BasU comprobantes propositum HOme ‖ propositum] *om.* MMuMueNk ‖ comprobantes] probantes BIKoSp
approbantes CaCc contemplantes Z ‖ Quinque] sex A divisio operis *i.m. add.* R ‖ vero
libris] libris vero ABEI ‖ vero] igitur AdAsBaDErHIaKoLMunNOmeSp p enim P *om.*
U   3 distinctum . . . opus] hoc opus distinctum est KoLMun p ‖ distinctum est] deti-
netur Ba ‖ hoc opus] opus istud AsBaCcNeZ opus hoc IaU *om.* NkReT ‖ hoc] *om.* AAr
BBasBuCCaDErHIIpIrOOboOmePRRoRomSSpZu ‖ quorum] cuius N *om.* KoMunObe p
‖ primus] *dub.* Ob ‖ agit . . . causa] *depr.* N ‖ agit] erit Ko est Ne *om.* P ‖ una omnium
causa] omnium causa (una *s. lin.*) As ‖ una omnium] omnium una BaDLSp ‖ una] et
add. Ca *om.* ErT ‖ omnium] omniumque AAdIpOb omni HOme   4 causa] causam
causa Ko causa *add.* H ‖ id est] in Obe scilicet Z de *add.* AdCcHKoLMMu
MueMunOboOmePU *om.* Er ‖ deo eodemque trino] eodemque trino deo LMun p ‖ deo]
om. Zu ‖ trino] trinumero Bu tertio Ia trine deo Ko vel eterno *i.m. add.* U ‖ secundus]
liber *add.* B vero *add.* R *depr.* N ‖ mundi] mundo Mun meriti Ar mundu A rerum Obe et
add. AdCcFKP ‖ angeli et hominis] hominis et angeli T ‖ angeli] angelis A angelorum
MMuMue ‖ et hominis] hominisque CaIr ‖ et] *om.* AsDIrSpZu   5 et arbitrii] arbitrii-
que Ca ‖ et] liberi *add.* Bas ‖ arbitrii libertate] libertate arbitrii Ip *depr.* N ‖ tertius] tertio
IaRom est *add.* AdCa ‖ dei] *om.* Ko ‖ incarnato] inturbato *dub.* Ko ‖ pro homine redi-
mendo] *om.* Nk   6 homine redimendo] redemptione humana Re ‖ quartus] est *add.*
Ad ‖ sacramentis] sacramento Ia sacris Ko matris nostrae *add.* R ‖ quintus] autem R
depr. Ad ‖ de] mortuorum *add.* MMuMue ‖ resurrectione] resurretione Ia sextus de
trinitate *add.* A mortuorum *add.* AsBaBasCcDErHIaKKoLMunNOmePSpU p ratione *dub.*
Ca   7 Descriptiones] discriptiones Ob descriptiones *i.m. add.* R ‖ autem] vero Bas
Obe etiam ORom enim Ob ideo *add.* R *om.* AsBaN ‖ appositae sunt] sunt appositae
KoNkObObeT sunt positae Re ‖ appositae] inpositae Ba propositae Bu depositae Ir positae AsCcR ‖ hac de causa] de hac causa ABI *om.* Er ‖ hac] huc Ko ha D ‖ ut] scilicet
add. ORom ‖ appareat] appariant HOmeP

reat in quo sensu accomodis huic arti vocabulis sit utendum. Tres autem petitiones sic dicuntur, quia cum per alia probari non possint tamquam maximae licet non adeo evidentes, vere tamen ad probationem sequentium illas mihi peto concedi. Communes autem animi conceptiones sequuntur sic dictae, quia adeo sunt evidentes quod eas auditas

1 quo sensu] quem modum Ca || sensu] siv . . . R a *add.* Ip dub. O || accomodis] ac comodis Obo a comodis Re accommodatis AdAsBaCcL acommodatis Ome accomedatis B accomodius Bas accomodationes H accommodis IIpMuNe accmodis Ir sit ac quibus modis Er actio modis F ac quot modis Ia et quibus modis Nk acomodis N commodum ObObe aut comodis P accommode R ad commodis Rom aut quibus modis Zu aliquid commodum O acco (ac quot *i.m.*) modis U *om.* CaKo || huic] huius CaErRe hi/oc Zu *om.* Ko *depr.* Ad || arti] artis CaErRe assit Rom *om.* KoNk || vocabulis sit] sit vocabulis O || vocabulis] vocabolis Ko vocabulo Nk vocabulum Obe *om.* Ba || sit utendum] utendum sit MMuMueOme || sit] fit F *om.* ArRoRomS || utendum] vertendum Ca mundus Ir || Tres] quae Ko sunt *add.* L || Tres . . . petitiones] *depr.* Ad || autem] etiam CRoRom vero MMu Mue igitur ArS sequuntur *add.* K descriptiones *add.* Ko   2 petitiones] quae *add.* IaKMMuMue subiunctae sunt *add.* CKoMun p subiunctae *add.* L || sic dicuntur] subiunctae sunt sic dictae ArCRoS sunt subiunctae ORom || sic] *om.* BasDErHNOboOmePSp || dicuntur] dictae KoLMun p dicunt Mue denominata *dub.* Ba *om.* Obo || quia] quod Ad qua/quae/quam Ba quae L quoniam Obe *om.* Ia || cum per alia] per alia cum Obo || cum] *om.* BaLMMuMueNkR || per alia probari] probari per alia LMun p || per] *om.* CaKo || alia] alio Ca aliqua ReZu aliqua *s.lin. add.* U *om.* Ko || probari] priora Obe || possint] possunt BBaCDFHIIaKMMuMueNkOPRReSSpUZu *dub.* Ca *depr.* Ad || tamquam maximae] *om.* Ca || tamquam] tamque Ko *om.* P   3 licet non adeo] adeo licet non P licet *om.* Obo *s.lin.* Mun || non adeo] adeo non Ba || non] *om.* Ca || adeo] a deo his uti nunc sunt Ca a deo AD || evidentes] evidenter Ba sint *add.* K ibi *add.* Erf || vere . . . probationem] ad probationem tamen Ko || vere tamen] verumtamen BCaCcKObe p nunc tantum N ve (rum *s.lin.*) tamen U || vere] iure A nec DSp veri Obo *om.* AdMMuMue || probationem] probationes BIKP vero *add.* Ne   4 illas . . . mihi] peto illas michi Bas || illas] istas Ca alias F illa LMun *om.* BT || mihi peto] peto mihi AsBaBasBrCcDFHKoL MunNNkObOboOmaOmeOxbSpUV p mihi peti Ir michi peto K mihi postulo Ia peto mihi peto Obo || mihi] michi L || peto] porro Ome || concedi communes] communes concede Rom || Communes] omnis *dub.* F || autem] vero Cc *om.* CaNkOObObeReT || animi conceptiones] conceptiones animi Er || animi] animae IU *om.* A || conceptiones sequuntur] sequantur conceptiones H || conceptiones] acceptiones Ko perceptiones Ome contemptores F *om.* Ia   5 sequuntur] secuntur AdBaCaDErIIrKoL MueMunNeOboRZu consequuntur AsBKPU sequitur Ar sequentium O sequantur Ome ReRomZ || sic] *om.* RomT || dictae] dicere H inductae B *om.* RomT || quia] quoniam AsBaDErHNOmeSpU quod IaObe quae F quae (. . . *s.lin.*) O *om.* KoRom || adeo sunt] sunt adeo Mu || adeo] a deo CaDO || sunt evidentes] evidentes sunt AsBaErN evidentes et verae sunt Obe || sunt] fuerunt Ko *om.* DObSp || evidentes] et verae *add.* Ob || quod] quia AIrZ

statim concipit animus esse veras. Hae quoque sunt ad probationem
sequentium introductae.
Explicit prologus.

1 statim concipit] concipit statim BaDNSp ‖ statim] quivis *add.* B communis *add.* I *om.* C
‖ concipit animus] animus auditoris concipit Ad animus concipit FIrKoLMun p ‖ conci-
pit] concepit H concipiat ObObe ‖ animus esse veras] veras esse animus As ‖ animus] in
eis audientis Rom mens audientis eas O eas *add.* CaT auditoris illas *add.* MMuMue au-
dientes *add.* ObObe ‖ veras] verus H ‖ Hae quoque] *i.m.* O ‖ Hae] et Rom ‖ quoque]
ergo F vero HObObe autem KoLMun p quinque Ca quindecim descriptiones *add.* MMu
Mue *om.* Rom ‖ sunt ... sequentium] ad probatio sequentium sunt BBasNkObObe ‖
sunt] *om.* CcOme s.lin. U ‖ probationem] probationes ORom   2 sequentium intro-
ductae] *om.* Cc ‖ sequentium] introductionem *dub. add.* F ‖ introductae] necessariae
AsBaDNSp introducta vel necessariae Z introductione F inductae NkRom ductae (intro
s.lin.) O   3 Explicit prologus] explicit liber de memoria rerum difficilium Li *om.* AAr-
AsBBaBasCCaCcDErErfFHIaIrKKoLMMuMueMunNkOObObeOmePRReRoRomSSpTU
ZZu descriptiones, petitiones, communes animae conceptiones noch zum Prolog gehörig
p ‖ prologus] *om.* N

Dritter Teil

TEXTE

1 Nikolaus von Amiens, Ars fidei catholicae

Incipit liber de arte fidei catholicae.

5 Clemens papa, cuius rem nominis et vitae subiecti sentiant, et tu a
domino consequaris zelum scribentis, hoc opus tuo devotum nomini
benignus attende. Partes occidentalis imperii tot sectarum haeresibus
corruptas officiosissime contemplatus, aegre sustinui adeo invalescentem merito peccaminum in confessione Christiani nominis corrupte-
10 lam, cum ad instar cancri serpens et palam iam se prodere non formidans ecclesiae scandalum grave pariat et irreparabile detrimentum.
Ceterum terrae orientalis incolae ridiculosa Machometi doctrina seducti his praecipue temporibus non solum verbis sed armis professores
Christianae fidei persequuntur.
15 Ego vero cum viribus corporis non possim resistere, temptavi saltem
rationibus eorum malitiam impugnare. Porro sancti patres Iudaeos a
pertinacia, gentiles ab erroribus virtute miraculorum recedere facien-
tes, auctoritatibus veteris et novi testamenti productis in medium comprobatam fidem catholicam ampliaverunt. Sed nec miraculorum gra-
20 tia mihi collata est nec ad convincendas haereses sufficit auctoritates
inducere, cum illas moderni haeretici aut prorsus respuant aut pervert-
tant.

4 Incipit . . . catholicae] *om.* Erf || Incipit] incipiunt Ro || liber . . . arte] prologus in ar-
tem Oma tractatus Alani super articulis B edita Ro || catholicae] liber primus B editam a
Nicholao Ambianensi *add.* Oma a Nicholao Ambianensi scripta domino papae Clementis. Prologus *add.* Ro auctoritatus a domino ipso romano Clemente III prologus *add.*
Ne   5 vitae] inte Ro || subiecti] subiectius Bu || tu] *om.* BuNe   7 benignus] be-
nigne Bu || haeresibus corruptas] corruptis haeresibus Ro   8 invalescentem] in vales-
cente Erf   10 cum] haec *add.* Bu || serpens] in se *add.* Erf || palam iam se] se palam
Erf || iam] *om.* Ro   11 ecclesiae . . . pariat] et grave scandalum pariat ecclesiae Erf ||
irreparabile] irrecuperabile B   12 Machometi] Machomet OmaBNe   13 sed]
etiam *add.* Erf   14 persequuntur] prosequuntur Erf   15 vero] autem Erf || cum]
s. lin. Ro || possim] possem B possum Ne || saltem] tamen Ro || eorum] *om.*
Ro   16 a] perfida *add.* B   18 et] ac B *om.* Bu || novi] *om.* Bu   19 ampliave-
runt] ampliarunt BuOmaErfNe || nec] *om.* Ro   20 mihi] *om.* Ro

Probabiles igitur nostrae fidei rationes, quibus perspicax ingenium vix possit resistere, studiosius ordinavi, ut qui prophetiae vel evangelio contemnit, acquiescere humanis saltem rationibus inducatur. Hae vero probationes etsi hominem ad credendum inducant, non tamen ad fidem plene capessendam sufficiunt. Usquequaque fides enim non habet meritum, cui humana ratio experimentum praebet ad plenum. Haec enim erit gloria nostra perfecta scientia comprehendere, quod nunc quasi per speculum in aenigmate contemplamur. Porro cum Christi vicarius et Petri apostolorum principis sis successor, tua interest in omnem terram semen verbi catholici propagare. Unde titulo tui nominis decuit opus istud ascribi, ut ubicumque lectum fuerit, excellentiae tuae meritis accrescens auctoritas efficacius moveat inspectores. Nempe hanc editionem artem fidei catholicae merito appellavi. In modum enim artis composita diffinitiones, divisiones continet et propositiones artificioso processu propositum comprobantes. Quinque vero libris distinctum est hoc opus, quorum primus agit de una omnium causa, id est uno deo eodemque trino, secundus de mundi, angeli et hominis creatione et arbitrii libertate, tertius de filio dei incarnato pro homine redimendo, quartus de sacramentis ecclesiae, quintus de resurrectione. Descriptiones autem appositae sunt hac de causa, ut appareat in quo sensu accommodis huic arti vocabulis sit utendum. Tres autem petitiones sic dicuntur, quia cum per alia probari non possint tamquam maximae licet non adeo evidentes, vere tamen ad probationem sequentium illas mihi peto concedi. Communes autem animi conceptiones sequuntur sic dictae, quia adeo sunt evidentes quod eas auditas statim concipit animus esse veras. Hae quoque sunt ad probationem sequentium introductae.
Explicit prologus.

1 igitur] ergo B   2 studiosius] studiosus Erf || vel] aut B   3 contemnit] contemnunt BErf || inducatur] inducantur BErf || vero] ergo B   4 probationes] rationes Bu   5 enim] autem Ro   6 experimentum . . . plenum] ad plenum probat experimentum B   7 Haec] hoc B || quod] quae Erf   8 nunc quasi] quasi nunc Ne   9 interest] est B   10 catholici] et seminare vel *add.* Erf || Unde] in *add.* B   12 tuae] tui Ro   14 divisiones continet] continet et divinationes Erf   15 comprobantes] probantes B   16 hoc] *om.* BuBRo || hoc opus] opus istud Ne || agit] est Ne   17 trino] trinumero Bu || secundus] liber *add.* B   20 appositae] propositae Bu   21 accommodis] accomodatis B || sit] *om.* Ro   22 autem] etiam Ro || sic dicuntur] subiunctae sunt sic dictae Ro || possint] possunt B   23 evidentes] ibi *add.* Erf || vere tamen] verumtamen B || probationem] probationes B vero *add.* Ne   24 illas] *om.* B   25 sequuntur] consequuntur B || dictae] inductae B   26 statim] quivis *add.* B   28 Explicit prologus] *om.* BErfRo

Incipiunt descriptiones primi libri.

°Causa est, per quam aliquid habet esse quod dicitur causatum.

°Substantia est, quae constat ex subiecta materia et forma.

°Materia est res discreta formae susceptiva.

5 °Forma autem est, quae ex concursu proprietatum adveniens a qualibet alia substantia facit aliud esse suum subiectum.

°Proprietas autem alia substantialis, quae scilicet componitur subiectae materiae ad complendam substantiam, alia accidentalis, quae est adventitiae naturae.

10 °Accidens est proprietas, quae per subiectum exsistit eidem esse non conferens sed differre faciens.

°Differre autem dicitur, quod informatum est proprietatibus, quarum collectio in alio reperiri non potest.

°Differre autem faciunt proprietates et formae.

15 °Discretum autem est, quod differt aut differre facit.

°Motus est accidens, quod attenditur iuxta aliquam subiecti mutationem. Motus autem species sunt sex: generatio, corruptio, augmentum, diminutio, alteratio, secundum locum mutatio.

°Esse actu dicuntur, quae non solum intellectu sed actualiter in rerum

20 numero deprehenduntur.

°Intellectus est potentia animae adminiculo formae rem comprehendens.

°Nomina et verba sunt voces ad ea significanda, quae intellectu comprehenduntur aptatae.

25 °Numerus est naturalis discretorum summa.

Expliciunt descriptiones.

Et sequuntur petitiones. Haec tria tantum sunt quae peto.

Prima petitio: Cuiuslibet compositionis causam componentem esse.

1 Incipiunt . . . libri] *om.* BErf || primi libri] *om.* Ro   4 res discreta] distincta res
B   5 autem] *om.* B   7 alia] est *add.* B || quae] quod vel quae *s. lin.* Ro   8 alia]
est *add.* Ro || adventitiae] id est extraneae *s. lin. add.* B   9 naturae] neccesitate
Erf   10 quae] quod OmaErf || per] *om.* BuNe || exsistit] *om.* Bu || eidem] id est Ro ||
non] est *add.* Ro   11 sed] *om.* Bu || differre faciens] facit differre Bu || faciens] *om.*
Oma BErfNe   13 in] dub. Erf   14 Differre . . . formae] wird nicht als eigene descriptio gewertet Bu   17 Motus . . . mutatio] wird als eigene descriptio gewertet Oma
eigene descriptio dub. BNe || species . . . VI] sex sunt species B || generatio] id est ingres-
sus in substantiam *add.* Bu || corruptio] id est egressus a substantia *add.* Bu || augmen-
tum] augmentatio B   18 alteratio] de uno accidente in aliud et *add.* Bu   19 di-
cuntur] intellegunt Ro || solum] solo B   21 Intellectus] autem *add.* B   25 natura-
lis] naturaliter B   26 Expliciunt descriptiones] *om.* BErfRo   27 Et . . . peto] Haec
tria sunt, quae peto. Incipiunt petitiones. Ro || Et sequuntur petitiones] *om.* BErf || Et
sequuntur] Incipiunt OmaNe || tantum] *om.* OmaBRo *s.lin.* Ne   28 Prima petitio]
videlicet (prima petitio *i.m.*) Bu *om.* Ne I *i.m.* Ro || causam] convenientem *add.* B ||
componentem] omnipotentem Ne

Secunda: Nullius rei causas in infinitum ascendere.

Tertia: Quae causatorum sunt et causis attribuuntur nec insunt, per effectum et causam illis attribui.

Expliciunt petitiones.

Sequuntur communes animi conceptiones. Communes animi concep- 5 tiones sunt hae:

°Omnis res habet esse per illud, quod causam illius ad esse perducit.

°Omnis causa prior et dignior est quam suum causatum.

°Nihil est prius vel dignius vel aliud quam ipsummet sit.

°Si aliquis maior possidet minorem et ea, quae penes minorem sunt, 10 minor se et ea, quae penes ipsum sunt, in honorem et voluntatem maioris tenetur convertere.

°Iniuriosus tanto maiori dignus est poena, quanto maior est, cui infertur iniuria.

°Iuxta dignitatem eius, contra quem peccatum est, debet satisfactio 15 compensari.

°Audita efficaciter et efficacius visa animos movent.

Expliciunt communes animi conceptiones.

Incipiunt theoremata sive propositiones.

I. Quidquid est causa causae, est causa causati. *Sit enim causatum a, 20 eius causa b, causa autem b sit c. A habet esse per b secundum descriptionem causae et ex hypothesi. B habet esse per c, eius enim est

---

1 Secunda] petitio *add.* (2 *i.m.*) Bu *om.* Ne II *i.m.* Ro *i.m.* Erf ‖ causas] causam Ro   2 Tertia] petitio *add.* Bu *om.* Ne III *i.m.* ErfRo ‖ nec] ne Erf   3 et] *om.* Ro ‖ illis attribui] *om.* Erf ‖ attribui] Expositio tertiae petitionis: Abusio enim esset dicere nullam causam esse, quae non haberet supra se causam. Puta cum dicuntur divitiae, molles per causam et effectum dicuntur, non quia mollities sit in divitiis sed in habentibus eas. Ipsae enim possesores suos faciunt molles. Simili modo dicitur dies laeta, mors pallida. *add.* Bu Abusio enim esset dicere nullam causam esse, quae non habeat supra se causam. Puta cum dicuntur divitiae molles, per effectum dicuntur. Sic dicuntur non, quia mollities sit in eis, sed quia possessores suos molles efficiunt, et sic in habentibus eas est mollities. Simili modo dicitur dies laeta, mors pallida. *i.m. add.* genaue Zuweisung zur dritten petitio nicht möglich Ne   4 Expliciunt petitiones] *om.* BErfNeRo   5 Sequuntur . . . conceptiones] *om.* BErf ‖ Sequuntur] incipiunt OmaNeRo ‖ Communes . . . hae] *om.* NeRo ‖ Communes] autem *add.* Oma   7 perducit] produxit B   8 et] *s. lin.* Ro ‖ est] *om.* Ro   9 prius] peius BNe ‖ ipsummet] ipsum Oma-BErfNeRo   10 aliquis] aliquid B   13 infertur] fertur Ro   15 peccatum est] sit peccatum Ro   18 Expliciunt . . . conceptiones] *om.* BErfNeRo   19 Incipiunt . . . propositiones] *om.* BErf ‖ theoremata sive propositiones] propositiones vel theoreuma Ro   20 Sit] si Ro ‖ causatum a eius] a est Ro   21 A] ergo *add.* B ‖ secundum] per B   22 est] *om.* Ro

causa. Sed secundum primam communem animi conceptionem omnis res habet esse per illud, quod causam illius ad esse perducit. Sed b perducit a ad esse; est enim eius causa. C autem erat causa b. Ergo secundum illam communem animi conceptionem a habet esse per c. Ergo a descriptione causae c est causa a. Et sic propositum patet.

II. Omnis causa subiecti est causa accidentis. *Accidens enim ex descriptione ipsius habet esse per subiectum. Ergo a descriptione causae subiectum est causa accidentis. Sed praecedens theorema est: Quidquid est causa causae, est causa causati. Ergo omnis causa subiecti est causa accidentis.

III. Nihil se ipsum composuit vel ad esse perduxit. *Immo dicet adversarius: Aliquid se ipsum composuit vel ad esse perduxit. Ergo ipsum habet esse per se. Ergo iuxta descriptionem causae ipsum est sui causa. Ergo per secundam communem animi conceptionem ipsum est prius se, quod est contra tertiam communem animi conceptionem.

IV. Neque subiectam materiam sine forma neque formam sine subiecta materia actu posse esse. *Si enim subiecta materia est, ergo res discreta est. Ergo a descriptione discreti differt vel differre facit. Sed non differre facit, quia neque proprietas est neque forma. Ergo differt. Ergo a descriptione eius, quod est^a differre, ipsa est informata proprietatibus. Ergo est formae subiecta. Ergo non est sine forma. Similiter ex descriptione formae: Forma facit suum subiectum esse aliquid aliud a qualibet alia substantia. Ergo forma est in subiecto, ergo in subiecta materia. Et sic habemus propositum.

V. Compositionem formae ad materiam esse causam substantiae. *Substantia enim constat ex materia et forma. Ergo esse habet per materiam et formam. Ergo forma et materia sunt causa substantiae. Item nec forma, nisi componatur materiae, nec materia, nisi componatur formae, actu esse possunt, sicut prius probatum est. Ergo forma et

---

1 primam] *om.* Bu || communem] *om.* NeRo   2 perducit] produxit B   3 perducit] producit B || ad] in B   4 secundum . . . descriptione] per descriptionem B || communem] et primam *add.* Bu   6 accidentis] antecedentis B || ex descriptione] per descriptionem OmaB || ex] a Ne   7 a descriptione] per descriptionem B   11 vel] nihil B || perduxit] produxit B || Immo] homo B   12 perduxit] produxit B   14 communem] *om.* Ro   15 tertiam] *om.* BuErf || communem] *om.* B   18 Ergo] *om.* B   20 est^a] *om.* Bu   21 ex] a B   22 aliquid] *om.* OmaBErf Ro   23 ergo] est *add.* B   26 enim] *om.* Ro   27 causa] causae BNe || substantiae] componens per primam petitio nem *add.* Ro   28 nec] *om.* B   29 possunt] possint *i.m.* Erf || est] *om.* B

materia actu habent esse per compositionem earum. Ergo compositio est causa exsistentiae earum. Sed exsistentia earum est causa substantiae. Ergo per primum theorema compositio formae ad materiam est causa substantiae: Quidquid enim est causa causae, est causa causati.

VI. Cuiuslibet substantiae triplex est causa: materia scilicet et forma 5 et earum compago, quarum trium eadem etiam est causa. *Prima pars huius theorematis ex praecedenti robur assumit. Secunda autem pars per primam petitionem probatur. Cum enim cuiuslibet compositionis aliqua est causa componens, ergo compositionis formae ad materiam aliqua est causa. Ergo ipsa est causa compaginis et materiae et formae, 10 quod mediante theoremate praecedente per primum probatur.

VII. Quaecumque sub numero cadunt, differunt aut differre faciunt. *Numerus enim est discretorum summa. Ergo si cadunt sub numero, discreta sunt. Ergo a descriptione discreti differunt aut differre faciunt. 15

VIII. Nihil est sui causa. *Haec tertio theoremate fidem accepit: Nihil enim se ipsum compegit vel ad esse perduxit. Ergo nihil est per se. Ergo nihil est sui causa.

IX. Cuiuslibet inferioris causae aliqua est causa suprema. *Nullius enim rei causae in infinitum ascendunt, sicut secunda petitione propo- 20 nitur.

X. Causa suprema neque componitur alicui neque ipsam aliqua componunt. *Nam sive hoc sive illud sit, compositionis illius est aliqua causa componens per primam petitionem. Quae causa componens aut est ipsa causa, de qua agitur, aut alia. Sed illa, de qua agitur, esse non 25 potest. Nihil enim est sui causa. Ergo est alia ab ea, de qua agitur. Sed omnis causa est superior suo causato per secundam communem animi conceptionem. Ergo illa est superior suprema causa[a], quod est impossibile.

3 per] om. Ro ‖ est] et B   4 causae] i.m. Ro   5 et] om. Ro   6 earum] compositio alias add. B   9 est] sit B ‖ compositionis] et add. Erf   10 est] om. Ro   11 praecedente] om. Ne   12 aut] vel Bu   14 discreti] aut add. Ne ‖ differunt] depr. Oma ‖ aut] vel Bu   16 Haec] hoc OmaBErfNeRo ‖ tertio] ex praem. OmaB ‖ accepit] accipit BNeRo   17 compegit] composuit Ro ‖ perduxit] produxit B   19 causae] om. B   20 causae] causa Erf   22 aliqua] aliqua add. Erf   26 sui causa] causa sui ipsius B ‖ causa] sicut est propositum add. Bu   27 superior] inferior Oma ‖ causato] sicut patet add. Bu   28 superior] illa add. OmaB ‖ causa[a]] om. B ‖ impossibile] Et sic patet propositum add. Bu

XI. Causa suprema neque proprietas est neque forma. *Non enim componitur alicui. Ergo neque est proprietas neque forma.

XII. Causam supremam simplicissimam esse oportet. Corollarium: Unde manifestum est unam tantum esse omnium causam supremam, quam ratiocinandi gratia deum dicamus. *Veritas propositionis per X satis apparet. Corollarium autem indirecte probatur. Si enim adversarius dicat cum haeretico Manichaeo non unam tantum esse causam supremam, ponantur ergo esse plures. Ergo[a] duae ad minus. Ergo subiacent binario. Ergo cadunt sub numero. Ergo differunt vel differre faciunt, per septimum theorema. Sed neutrum differre facit, quia neutrum est proprietas sive forma, sicut praemissa proponit. Ergo differunt. Ergo per descriptionem eius, quod est differre, causae illae sunt informatae proprietatibus, et cetera. Ergo ipsis compactae sunt formae. Sed compositionis cuiuslibet aliqua est causa. Habent igitur supra se aliquam causam vel aliquas. Ergo non sunt supremae causae, quod est contra hypothesim.

XIII. In deum nullum accidens cadit. *Si enim in deum cadit accidens, ergo deus est subiectum accidentis. Sed accidens subiectum suum differre facit, sicut in accidentis dictum est descriptione. Ergo deus differt ab aliquo. Ergo est proprietatibus informatus, quod est contra decimum theorema.

XIV. Deus nec alterari nec augeri nec[a] minui nec localiter moveri potest. *Nullum enim accidens cadit in deum, ergo nulla species motus.

XV. Deus est aeternus. *Si enim incepit esse, ergo motus est generatione. Si desinet esse, ergo movebitur corruptione. Ergo accidens vel fuit vel erit in eo, quod est impossibile.

XVI. Deus est immensus, incomprehensibilis, ineffabilis, innominabilis. *Vere immensus est, quia non est in eo certae quantitatis mensura.

2 alicui] quod patet per proximum theorema *add.* B   4 causam] causarum Ro   5 dicamus] esse dicimus B ‖ Veritas] huius *add.* NeRo   7 dicat] *om.* B ‖ esse] causae Oma   8 Ergo[a]] *om.* B ‖ duae] igitur *add.* B   11 proponit] propositio dicit B   13 ipsis] ipsius Ne   14 aliqua est] est aliqua B ‖ igitur] ergo B   15 vel aliquas] *om.* Ro ‖ aliquas] causas *add.* B   16 hypothesim] Item, si hoc neutra est suprema, quia, quod superabundantiam dicitur, uni soli convenit, et hoc est contra nonum theorema. *add.* B   18 ergo . . . subiectum] dicens Ro ‖ Sed] *om.* Ro   20 decimum] proximum B   22 nec[a] . . . potest] potest minui nec localiter moveri Ro   23 accidens] *om.* Oma ‖ motus] in illo est *add.* Bu   25 desinet] desinit Ro   26 eo] ipso B   28 est] *om.* B ‖ quia non] nec Bu

Quantitatis enim expers est, in quem nullum accidens cadit. Eundem etiam incomprehensibilem tempore et loco et intellectu esse quis ambigat? Non enim artatur temporis intervallo, qui nec initium habuit nec fine claudetur. Similiter et loco comprehendi non potest. Si enim loco circumscriberetur, certis superficiebus eius soliditas clauderetur. Et sic expers non esset quantitatis et formae, quod prius est improbatum. Item deus, qui omnimodam formam subterfugit, intellectui pervius esse non potest, cum intellectus non nisi adminiculo formae rem comprehendat, sicut apparet ex descriptione intellectus. Ergo deus humano intellectu capi non potest. Verum pari modo ineffabilis esse censetur, id est de quo recte fari non possumus. Cum enim circa duos terminos humanus sermo versetur: subiectum scilicet, per quem exprimitur, de quo fit sermo, et praedicatum, quod subiecto copulat proprietatem vel formam, a divina natura est hic modus alienus, cum nec proprietati subiecta est nec ipsa proprietas est sive forma. Unde patet eum innominabilem esse. Cum enim nomina ad exprimendum tantum ea, quae intelleguntur, sint instituta, et deus humano intellectu capi non potest, ergo nec recte nomine significari.

XVII. Deum nulla scientia sed sola deprehendimus fide. *Nihil enim sciri potest nisi possit intellegi. Sed deum non comprehendimus intellectu, sicut per praemissam apparet. Ergo nec scientia. Deum igitur, quem inducente nos ratione esse praesumimus et non scimus, esse credimus. Fides enim est ex certis rationibus ad scientiam non sufficientibus orta praesumptio. Fides itaque est supra opinionem et infra scientiam.

XVIII. Deus est omni tempore, omni loco, omnia et quantumlibet potens. *Universitas, quae hoc nomine „omnia" comprehenditur, creata vel concreata[a] et ea, quae, si essent, creata vel concreata[b] essent, solummodo comprehendit. Si ergo dicat falsigraphus: „Deus non omnia pot-

2 etiam] enim B || ambigat] ambigatur Oma   3 qui] quia OmaB || habuit] habet BNe   7 intellectui pervius] intellectu comprehensus Ro   8 non] naturalis Ro || rem] non *add.* Ro   12 versetur] versatur OmaB || quem] quod B   13 quo] *s. lin.* Ro || quod] qui OmaErfNeRo   14 vel] et Oma || hic] *om.* B || modus] sermo Bu   15 sive] sine BuB NeRo   17 intelleguntur] subintellegantur B || sint] sunt OmaBErfNe   18 recte nomine] minime recte Ro || recte] recto B   19 sed] *s. lin.* Bu || deprehendimus] comprehendimus B   20 potest] *om.* B || nisi] cum non Ro   22 et] sed B   24 Fides] ergo *add.* Ro || itaque] utique OmaErfNeRo || infra] *om.* B   26 est] in *add.* B *om.* Ne || potens] potest Ne   27 Universitas] *dub.* Ro || omnia] *om.* Ro   28 concreata[ab]] concreta OmaNe   29 Si] sic Ro

est", ponatur aliquid esse creatum vel concreatum, quod ipse non possit. Illud autem erit subiectum aut[a] proprietas aut ex utroque compacta substantia. Sed quodcumque illorum sit compaginis, illius erit aliqua causa, quod per primam petitionem probatur. Cuiuslibet etiam
5 inferioris causae est causa suprema, sicut IX proponit, et quidquid est causa causae, est causa causati, sicut I proponit. Ergo suprema causa, quae deus est, illius est causa, de quo propositum est. Ergo illud habet esse per deum. Ergo deus potest facere, quod illud sit. Ergo deus potest illud, quod est contra hypothesim. Pari modo, si negetur deum
10 omni tempore omnia posse, ponatur aliquod tempus esse et aliquid vel aliqua esse, quae in illo tempore deus non possit. Et praedicto modo poterimus argumentari. Verum et sic arguendum est, si omni loco omnia et quantumlibet potens negetur esse deus.

XIX. Quod in rerum creatione et dispositione commendabilia contem-
15 plamur, per effectum et causam attribuimus creatori. Unde quia potenter et bene potentia et bona creata sunt, creatorem potentem et[a] bonum dicimus esse. Et quia in rerum dispositione caritas, humilitas, iustitia, misericordia, sapientia et huiusmodi perpenduntur, ipsum pium, humilem, iustum, misericordem dicimus et sapientem. Porro
20 notis etiam similitudinibus dicitur fons, lux, oriens, lumen, vita, videns, currens aliisque ex omni linguarum genere vocabulis ad eius magnitudinem praedicandam transumptis. *Ad huius probationem exigitur tertia petitio. Procul dubio per effectum et causam dicitur deus bonus sive bonitas, quia ab eo omne bonum et ipse efficit omne bonum. Iu-
25 stus etiam sive iustitia nuncupatur, quia omnis ab eo solo procedit iustitia, quia omnium rerum est causa, sicut corollarium XII propositionis affirmat. Per quandam similitudinem etiam fons dicitur, quia sicut a fonte rivuli ita ab eo cuncta procedunt. Sol etiam et lumen asseritur,

1 ponatur] ponat Ro || creatum vel concreatum] concretum vel creatum Ne || concreatum] concretum Oma vel concretum add. Ro   2 autem] aut Oma || aut[a]] vel BuNe   4 per] om. B || etiam] enim B   5 causa] aliqua i.m. add. Ne || IX] propositio add. Oma || proponit] proposuit Ne || et] om.B   7 quo] qua Ne || est] om. Oma   10 omnia] esse B || ponatur] ponat Ro || aliquod] om. B aliquid dub. Ro   11 in] om. Erf || illo] nullo OmaBErf   12 poterimus] possumus B || et sic] etiam si B || arguendum] argumentandum Oma   13 esse] om. Oma   14 Quod] quae B || et] om. BBuErfNe s.lin. Ro || dispositione] quia add. B || commendabilia] commendabile Ro   15 et] non add. Ne || creatori] creatoris potentiae B   16 potentia] om. Ro || et[a]] per add. Ro   17 Et] licet Ro   18 sapientia] om. OmaB || huiusmodi] huius OmaNeRo   19 sapientem] dicimus add. Erf   20 lux] om. Oma   21 currens] creans B   22 praedicandam transumptis] praedicandam assumptis corr. Oma || transumptis] assumptis B   23 et] non add. Ne   24 efficit] facit Ro

qui illuminat omnem hominem venientem in hunc mundum, et sic de similibus apparebit.

XX. Deus est potentia, qua dicitur potens, sapientia, qua[a] sapiens, caritas, qua[b] diligens, ceteraque nomina, quae divinae naturae dicuntur competere, de deo licet improprie praedicant divinam essentiam. *Nomina enim illa potentia, potens, sapientia, sapiens et huiusmodi neque proprietatem neque formam neque quidquam talium deo attribuere possunt, cum simplicissimus deus in sua mera natura talium non sit capax, sicut per X est probatum. Cum ergo ratiocinandi de deo causa nomina nominibus copulamus, nihil quod non sit eius essentia praedicamus et sic transumptis nominibus de deo quod credimus, licet improprie, balbutimus, sicut per XVI constat esse probatum.

XXI. Omnia in deo et deus in omnibus et omnia esse dicitur causative. *Omnia siquidem in deo sunt tamquam in sui causa, deus in omnibus sicut causa in suis causatis. Deus etiam dicitur omnia esse per causam.

XXII. Deus ubique essentialiter est et nusquam localiter. *Vere per XVIII deus dicitur in omni loco omnia potens. Ergo deus est ubique potens[a]. Sed hoc nomen potens praedicat divinam essentiam, sicut per XX liquet. Ergo deus est ubique exsistens. Deus igitur essentialiter est ubique, nusquam autem localiter. Incomprehensibilis enim est, sicut XVI theorema proponit.

XXIII. Cuiuslibet substantiae admiranda propago quantus sit suus auctor ostendit. *Cum enim nullam creaturam aliam posse creare noscamus et cuiuslibet facturae causam superiorem esse ratio dictet, admirabilem omnium credimus esse factorem.

XXIV. Materia, forma et earum compago tria prosus diversa sunt, quae in cuiuslibet substantiae creatione principaliter exiguntur. Corol-

---

1 qui] quia BErfNe ‖ hominem] *om.* Erf ‖ hunc] *s. lin.* Ro ‖ sic de] singulis Oma ‖ sic] *om.* Ro   2 similibus] singulis B   3 qua] quia B ‖ qua[a]] quia dicitur B   4 qua[b]] quia dicitur B ‖ nomina] omnia Ro   6 huiusmodi] huius OmaErfNeRo   7 quidquam] quidquid B   8 mera] *om.* Ro ‖ talium] *om.* Oma   9 X] decimum theorema B ‖ deo] eo Bu   10 nomina] *om.* Ro   11 sic] sicut Ro   12 probatum] propositionem *add.* B   13 esse] *om.* Ro   14 siquidem] quidem B ‖ tamquam] sicut Bu ‖ deus] autem *add.* B   18 deus] *om.* Ro ‖ dicitur] esse *add.* ErfNe ‖ loco] esse *add.* B ‖ Ergo . . . potens[a]] *om.* Ro   19 nomen] nomine Erf   22 XVI] XVII Oma ‖ proponit] proponet Erf   23 propago] compago B ‖ suus] *om.* B   24 auctor] summus *add.* B actor Ro   25 dictet] dictat B et *add.* Erf   26 omnium] bene *add.* B

larium: Unde manifestum est quod in una eademque substantiae creatione trinus effectus in uno eodemque auctore trinitatem esse convincit. Et haec trinitas tres personae dicetur: prima pater, secunda filius, tertia spiritus sanctus dictae. *Formam et materiam prosus esse diversa eorum descriptiones et naturae demonstrant. Patet etiam quod neutrum eorum est sua compago, cum a compositis sit aliud componens. Quod autem haec tria principaliter exigantur, hoc ex descriptione substantiae promptum est nosse. Substantia enim constat ex materia et forma. Constare autem idem est quod componi. Corollarium autem per praemissam propositionem scilicet per XXIII comprobatur: Cuiuslibet enim substantiae admiranda compago, et cetera.

XXV. Etsi in cuiuslibet substantiae creatione materiam patri, formam filio, compositionem spiritui sancto possit ordo congruus destinare, tamen in quolibet trium totam trinitatem necesse est operari. *Materia primum substantiae fundamentum congruit primae trinitatis personae. Formam, quae innascitur, filio attribuimus competenter. Compositionem autem illorum cui nisi tertiae trinitatis personae, quae spiritus sanctus dicitur, demum adaptare possemus? Vere compositio illa non tantum iuncturam extremorum continet sed ornatum. Cum autem quaelibet istarum personarum sit deus, qui unus omnium est artifex, restat, ut tota trinitas praedicta tria indivisibiliter operetur. Et sic propositum patet.

XXVI. Materiae forma innata et ex ipsis procedens compago filium natum ex patre et eorum nexum amoremque spiritum sanctum ab utroque procedere nobis figuraliter denuntient. *Intuentes enim naturam illorum, ipsam in exemplar sui auctoris proponimus et, per creaturam contemplantes creatoris naturam velut per speculum in aenig-

2 eodemque] eodem Erf || auctore] actore BuErfNe creatore B || esse] om. Ro 3 dicetur] dicuntur B 4 dictae] om. Oma 6 a] suis add. B || componens] om. Ro 7 exigantur] exiguntur Erf et considerentur add. B 8 promptum] promotum Ro 10 autem] om. OmaErfNeRo || propositionem . . . XXIII] vel per XXIIII Ro || scilicet per] om. B 11 compago] quantus sit autor add. B om. Ro 12 Etsi] licet Oma || materiam] naturam B 13 possit] posset Erf 15 primum] om. Ne || fundamentum] congruit add. Ro 17 autem] s. lin. Ro || cui nisi] om. B 18 adaptare] adoptare Ro || possemus] possumus BuBRo 20 quaelibet] qualibet B 21 indivisibiliter] invisibiliter Bu 23 procedens] praecedens Bu 24 amoremque] scilicet add. B 25 denuntient] denuntiant BuBErfNe depr. Ro 26 auctoris] actoris BuBErf || creaturam] creaturas Erf 27 contemplantes] exemplantes Bu || speculum] et add. B

mate, substantiam diiudicantes per figuram, praedicta figuraliter intu-
emur, quemadmodum per XXIII et XXIV theorema fuimus coniec-
tati.

XXVII. Pater et filius et spiritus sanctus aequales sunt potentia et natura. *Natura siquidem aequales esse convincitur, cum quilibet sit deus 5
et ipsi tres idem deus, quod ex corollario XXIV propositionis habui-
mus. Potentiam autem aequalem esse finis XXV convincit.

XXVIII. Una est essentia trium personarum, quarum nulla est altera
reliquarum. *Prima pars propositionis huius ex praemissis apparet.
Cum unus idemque deus sit tres personae, eas constat esse unius es- 10
sentiae. Deinde personas illas prorsus esse diversas praedicto modo
possumus persuadere, quemadmodum in creatione substantiae tria
esse diversa et XXIV proponit. Ita creantes personas perpendimus esse
diversas. Item indirecte probatur. Nam si dicat quis patrem esse filium
et spiritum sanctum, ergo eadem est persona illorum. Ergo non sunt 15
tres personae, quod est contra eandem XXIV.

XXIX. Quaecumque praedicant divinam essentiam, tribus personis
conveniunt. *Nihil enim aliud sunt tres personae illae quam divina essentia, quod praemissum theorema confirmat.

XXX. Personarum trinitas est unitas deitatis. *Trinitas enim est tres 20
personae, quae sunt una deitas. Quae etiam deitas[a] nihil aliud est
quam unitas deitatis. Unde a primo trinitas illa est unitas deitatis.
Explicit primus liber.

1 per figuram] *om.* Bu ‖ praedicta] praedictam B ‖ figuraliter] singulariter
Erf   2 XXIII . . . coniectati] XIX theorema constat B ‖ et] per *add.* Ne ‖ coniectati]
coniecturati Ro   5 siquidem] quidem OmaBErfNeRo ‖ convincitur] convincit Oma
convincuntur BRo   6 XXIV] XXIII Ro ‖ habuimus] habemus Oma *om.* Ne   7 Po-
tentiam] potentia B ‖ aequalem] aequales B ‖ esse] *om.* Bu ‖ XXV] XXIV Oma XVIII
B   8 quarum] *om.* B   10 constat] constet Oma   11 prorsus] *depr.*
Ne   12 persuadere] quia *add.* Ro ‖ substantiae] *om.* Oma   13 et] *om.* OmaBErf
NeRo   15 eadem est persona] eandem esse personam Ro   16 XXIV] propositionem *add.* Oma   17 Quaecumque] quicumque B   18 aliud . . . illae] sunt aliud
tres personae B   19 confirmat] *om.* B   21 sunt] est Oma ‖ Quae . . . primo]
unde de primo ad ultimum B ‖ deitas[a]] *om.* Ro   22 deitatis] et sic patet propositum
add. B   23 Explicit primus liber] *om.* ErfNe

Incipit secundus agens de rerum creatione, XXX continens propositiones.

Incipiunt descriptiones.

°Bonum est, quod utiliter habet esse.

5 °Malum est defectus et privatio boni.

°Utile est, quod ex bona causa procedit.

°Caritas est, quae alii vult idem bonum quod sibi et efficit, prout
potest et debet.

°Iustitia est, quae bene merentes remunerat et malos punit iuxta
10 quantitatem meriti, poenam vel meritum recompensans.

°Bene mereri proprie dicitur, qui nulla necessitate compulsus ad alicuius honorem vel commodum facit, quod facere non tenetur.

°Mereri apud deum dicitur, qui nulla necessitate compulsus libens deo
facit, quod facere tenetur.

15 °Male meretur, qui debitum ei, cui debet, non solvit, cum possit.

°Humilitas est, quae minima maximis aequat.

°Misericordia est, quae de poena debita aliquid relaxat.

°Gloria est gaudium ex bonorum felicitate proveniens.

°Gratia est, quae non ex merito sed gratis aliquid confert.

20 °Satisfactio peccati est ad honorem eius, contra quem peccatum est,
aliquid sufficienter factum alias indebitum.

Expliciunt descriptiones.

Incipiunt propositiones vel theoremata.

I. Deus est summum bonum, nec in eo nec ab eo est[a] malum. *Deus
25 per effectum et causam est bonus, sicut XIX theoremate declaratur. Et
nihil aeque utiliter habet esse ut deus. Ergo nihil aeque bonum est ut
deus, a descriptione boni. Ergo est summe bonus. Ergo est summum
bonum. Item deus est omnia quantumlibet et quandolibet potens,

---

1 Incipit . . . creatione] *om.* Erf ‖ Incipit] liber *add.* B ‖ secundus] liber *add.* Ne ‖
agens . . . creatione] de mundi angelorum et hominis creatione et arbitrii libertate B de
mundi angeli et hominis creatione Ro ‖ XXX continens propositiones] *om.*
ErfNe 3 Incipiunt descriptiones] *om.* BErf 4 esse] se Erf 9 quae] quod Ne
‖ iuxta] secundum Erf 10 meritum] praemium ErfNe ‖ recompensans] compen-
sans Ro 11 Bene] unde Ro ‖ compulsus] vel coactus *add.* B 13 deo] *om.*
B 14 facere] non *add.* B 15 cui] qui Ro 16 minima maximis] minimis maxima B 17 de] ex Oma ‖ debita] debiti Ro 19 non] est *add.* B 22 Expliciunt descriptiones] *om.* BErfNeRo 23 Incipiunt . . . theoremata] Incipit prima propositio, quae talis est Bu *om.* OmaBErf ‖ vel theoremata] *om.* Ne 24 est[a]] aliquod
add. B *om.* Oma 25 et] non *add.* Ne ‖ XIX] XX BuBErfRo XX (non est de textu: et
XIX et XX primi libri scilicet *i.m.*) Oma ‖ theoremate] theorema B infra *add.* Oma ‖
declaratur] proponit B 26 ut] sicut Bu ‖ est] *om.* Ro 28 et quandolibet] *om.* B ‖
quandolibet] quantalibet Ro

sicut XVIII primi libri conceptum est. Ergo nulla impotentia est in deo, ergo nullus defectus. Ergo nec defectus boni est in eo. Ergo nec malum est in eo, a descriptione mali. Item quidquid ab eo est, est aᵃ bona causa. Deus enim est bona causa. Ergo quidquid ab eo est, est utile, a descriptione utilis. Ergo quidquid a deo est, utiliter habet esse. Ergo 5 quidquid a deo est, bonum est. Ergo a deo non est aliquod malum. Et sic tres propositionis partes probavimus.

II. Quidlibet sive substantia sit sive accidens, in sui natura bonum esse necesse est. *Quidlibet enim est a deo, ergo a bona causa. Ergo utiliter habet esse. Ergo est bonum. Vel aliter: A deo nullum est malum et 10 quidlibet est a deo, ergo quidlibet est bonum. Locus ab immediatis.

III. Summa caritas, humilitas, iustitia, misericordia perpenduntur in deo. *Caritatem etᵃ humilitatem et cetera in deo esse intelligas, quemadmodum XX primi libri declaratur. Quia vero est summum bonum, nullius boni defectus estᵃ vel imperfectio est in eo. Ergo caritas sive alia 15 virtus summa est in ipso.

IV. Rem divinae sapientiae et gloriae participem fuisse creandam divina caritas probat. Et res illa spiritus rationalis appellatur. *Caritatis descriptionem attendens considerabit deum velle alii idem bonum quod sibi et efficere, prout potest et debet, praesertim cum summa 20 caritas sit in eo. Sed non potuit hoc esse, nisi aliud ab eo esset, quod bonum dei percipere posset. Oportuit ergo quodᵃ aliud esset ab eo, cui idem bonum vellet quod sibi, nec tantum vellet, sed efficeret, prout posset et deberet. Poterat autem efficere, quia ipse est omnia potens, sicut XVIII primi libri proponitur. Debebat etiam suae caritatis intuitu. 25 Ergo aliud ab eo oportuit esse, quod bonum illud perciperet. Sed aliud a deo non potest esse nisi per eius creationem, sicut XXIII primi libri convincit. Ergo oportuit rem talem creari, quae divini boni particeps

1 XVIII] XXVIII Ro ‖ deo] eo OmaBNeRo illo Erf   3 aᵃ] *om.* B   4 enim] ergo Erf ‖ ab eo] a deo Oma   6 a deo] *om.* Ro   7 probavimus] probamus OmaNe   8 Quidlibet] quodlibet Bu ‖ in sui natura] *om.* B   9 Quidlibet] quodlibet Bu quid (libet *s.lin.*) Ne ‖ est] *om.* B   10 et] sed B   11 Locus] per locum B ‖ ab immediatis] a mediatis Oma   12 perpenduntur] perpenditur B   13 deo] probatio *add.* B ‖ etᵃ] *om.* BuBErfNeRo   14 XX] besser: XIX   15 nullius] nullus Ne ‖ estᵃ] *om.* Bu ‖ vel . . . eo] in eo vel imperfectio Oma ‖ sive] seu B vel Ro   16 ipso] eo Ro   18 appellatur] probatio *add.* B   19 considerabit] considerabat   21 sit] *om.* B ‖ eo] deo BNe   23 nec] non Oma ‖ prout] ut Bu   24 posset] possit Ro ‖ Poterat] potuit B ‖ est] *om.* B   25 primi] i.m. B   26 aliud] illud Erf ‖ perciperet] participaret Ro   27 a deo] ab eo OmaB ‖ XXIII] XII BuBErfNeRo

esset. Sed divinum bonum est sapientia et gloria et caritas et cetera supra dicta. Ergo sapientiae et gloriae dei et caritatis et ceterorum commendabilium particeps res erat creanda. Et sic propositum patet.

V. Spiritus rationalis deum timere et ei servire tenetur et in omni
5 oboedientia ministrare. *Si quis quartam communem animi conceptionem attenderit, propositionis huius necessitatem inveniet. Nam cum minor maiori, cuius est, teneatur in omnibus oboedire, spiritus rationalis quod vivit, quod sapit, quod potest a deo habet, in ipsius gloriam et honorem et laudem se et quidquid potest debet sine intermissione con-
10 vertere.

VI. Machina mundi cum suis multiplicibus ornamentis in timoris et laudis et ministerii dei et communicandae gloriae materiam fuerat fabricanda. *Cum enim spiritus rationalis deo servire tenebatur et ministrare, sicut praemissa proponit, praetendenda fuit ei in rebus miranda
15 potentia creatis materia ministrandi. Quocirca mundi artificio considerato habuit manifestam materiam, qua tam potentem et doctum timeret artificem et laudaret et in cuius gubernaculo et dispositione domino ministraret. Et ex tantarum rerum scientia cum suo auctore posset plenius gloriari.

20 VII. Ob multiplices ministeriorum causas in machina mundi oportuit multos spiritus rationales creari. Ipsos autem dei nuntios angelos appellamus. *Non enim tantis administrationibus unus posset sufficere, et tantum auctorem opportunum erat copiam ministrorum habere. Et infinitae caritatis munificentia voluit idem auctor multis suam gloriam
25 erogare.

VIII. Liberum arbitrium bene et male merendi fuerat angelis de necessitate iustitiae conferendum. *Porro cum in deo iustitiam esse dicamus, a descriptione iustitiae sequitur, ut eum bene merentium remuneratorem et malorum punitorem esse credamus. Si ergo de necessi-

2 supra dicta] *om.* B   5 quartam] *om.* Ro   6 Nam] *om.* Ne ‖ cum] *om.* B   7 cuius est] huius etiam B ‖ oboedire] et *add.* B   11 in] ob Ro   12 fabricanda] probatio *add.* B   13 tenebatur] teneatur B   14 praetendenda] praebenda B praestanda Oma   15 creatis] creatoris B creati Ro creans Erf   16 qua tam] et ipsius B ‖ et doctum timeret] liberet B   17 in cuius] ipsius B ‖ et] ac B   18 et] ut B ‖ ex] *om.* Ro ‖ tantarum] creatarum B ‖ auctore] actore BuErf   22 posset] possit B   23 tantum] ideo B ‖ auctorem] actorem BuErf *om.* OmaB ‖ ministrorum] ministeriorum Ro   24 auctor] actor BuErf   25 erogare] merendo *add.* B   26 et] vel B ‖ merendi] vel gerendi *add.* B ‖ angelis] *om.* Ne   27 esse] *om.* OmaB   28 sequitur] sit B   29 malorum] *depr.* Ro ‖ esse] *om.* B

tate astrictus esset angelus deo facere, quod tenetur, non bene mereretur, cum bene mereri apud deum dicitur, qui nulla necessitate compulsus libens deo facit, quod debet; et si non mereretur, non remune-
raretur. Pari modo: Si ipsum ad malum compulisset innata necessitas,
ut debitum honorem deo solvere nequivisset, non esset ei imputan- 5
dum, sed potius ei, qui talem creasset. Nec ergo male mereretur, nec
ergo puniri deberet. Quare liberum arbitrium angelo fuerat de necessitate iustitiae conferendum. Nam cum iustitia non nisi bene merentes
remunerat et malos tantum puniat, nec bene meretur nisi qui nulla
necessitatis causa, sed propria libertate animi se inclinat ad bonum. Et 10
de malo similiter accideret. Quod si ex necessitate boni vel ex necessitate[a] mali essent angeli, neque pro bono opere praemium reciperent
neque pro malo incurrerent poenam, quod esset divinae caritati et
iustitiae contrarium.

IX. Angelorum naturam fortem et subtilem et[a] multiplici gratia dita- 15
tam fuisse credendum est. *Angeli tantarum rerum ministeriis depu-
tati, quantas tam sextum quam septimum theorema proponit, non
possent sufficere, nisi valde potentis essent naturae. Praeterea cum
secretis divinis assistant, ut in summis ministrent officiis, eos sapientes
et[a] cautos et[b] providos angelos libero arbitrio gaudentes esse necesse 20
est. Et ita patet eos multiplici gratiae munere fuisse ditatos.

X. Ut bene mereantur, angeli tenentur libero arbitrio uti ad bonum.
*Cum enim liberum habeant arbitrium, sicut octava declarat, et de
ratione subiectionis tenentur deum timere et illi servire in omnibus,
sicut quinta probatum est. Ergo liberum arbitrium ad illud debent de- 25
flectere et si ad illud, deflectunt et libentes. Patet ex descriptione bene

1 astrictus] affectus Ne || esset] esse Erf || mereretur] meretur BErfNe   2 dicitur]
om. Ro   3 mereretur] faceret B meretur Ro || remuneraretur] remuneretur
BRo   4 compulisset] compelleret Ro   5 deo] om. Ro || nequivisset] nequisset
BRo || esset] esse Ro || ei] illi ErfNe   6 Nec] non OmaB || nec] non
OmaB   7 ergo] om. Ro   8 cum] om. ErfNe   9 remunerat] remuneret B re-
muneraret Ro || puniat] punit Ne || nec] non Ro || meretur] mereretur Ro   10 ne-
cessitatis causa] necessitate OmaBErfNeRo   11 accideret] accederet B || ex necessi-
tate[a]] om. Oma   12 reciperent] acciperent B   13 esset] om. B || et iustitiae] om.
BuErfNeRo || et] vel B   14 contrarium] est add. B   15 et[a]] om. Ro   16 est]
om. BNe   17 quantas] quantitas Bu || non] nec Ro   18 possent] posset Bu ||
cum] dum B   19 summis] supremis B || ministrent] ministrarent B   20 et[a]] om.
BuErfNeRo || cautos] acutos B tantos Erf || et[b]] om. B || angelos] om. B   23 habeant]
habent BuOmaBErfNe   24 tenentur] teneantur B || illi] ei Ne   25 sicut] in add. B
|| deflectere] flectere B inflectere Ro   26 ad] om. Ne || illud] aliud B

merendi apud deum quod bene mereatur apud^a deum^a angelus, qui libero arbitrio ad bonum utitur. Et sic habemus propositum.

XI. Angeli male utentes libero arbitrio irremediabiliter fuere damnandi. *Noni theorematis tenore perpenso, cum fortis angelorum natura posset et deberet peccato resistere, et ex multiplici gratiae dono suo auctori oboedire perpensius tenebatur. Nullatenus fuere digni remedio, si deum inhonorantes libero arbitrio sunt abusi.

XII. Caritas et humilitas dei ad omnia protenduntur. *Non potest esse caritas maior quam caritas dei, quia summa est in deo, sicut tertium theorema proponit. Ergo in infinitum magna caritas est in deo, ergo in infinitum ampla. Ergo protenditur ubique, ergo ad omnia. Et sic de humilitate argumentare, et habebis propositum.

XIII. Cum omni re aliquid in sui natura commune habens sapientiae et gloriae dei communicaturum de vilissima materiarum fuerat procreandum. Et illud hominem appellamus. *Cum enim per praemissam patet dei caritatem ad omnia protensam, oportuit quod aut omni rei aut alicui habenti cum omni re communem naturam gloriam suam communicaret. Sed non omni rei hoc facere debuit, quia gloria dei inutilis esset insensatis et brutis. Ergo aliquid oportuit esse, quod haberet commune cum omni re aliquid ratione utens ad illam gloriam capessendam. Sed cum amplissima sit in deo humilitas, ut probat theorema praemissum, ut minima maximis aequarentur, opportunum fuit de humillima materia rem illam fuisse plasmandam. Sed nulla humilior est quam terra. Ergo de terra formatus homo: rationalis ut angelus, cum inanimatis corporeus, cum animatis vivens. Constat ex quattuor elementis divinam gloriam percepturus.

1 apud^a deum^a] *om.* Ro   4 Noni] non (noni *i.m. corr.*) Ne   5 peccato] peccatis Ne ‖ ex] *om.* B   6 suo . . . perpensius] suum auctorem honorare et eidem perpensius oboedire B ‖ auctori] creatori Bu actori Erf ‖ perpensius] propensius ErfNeRo ‖ Nullatenus] hi *praem.* B   7 si] sed Ne ‖ inhonorantes] inhonorando Bu   8 esse caritas] enim caritas esse Ro   9 tertium] huius libri *add.* Ro   10 Ergo in infinitum] *om.* Ne   13 aliquid . . . habens] habens aliquid sui natura commune B ‖ sui] sua Bu   14 materiarum] materia Ro natura *add.* B   15 enim] ut *add.* Bu   16 protensam] esse *add.* Oma ‖ aut] *om.* OmaBNe   17 cum] in B ‖ suam] participaret et *add.* Oma   18 rei] re ErfRo 490 esse] *s. lin.* Oma   19 aliquid] *om.* B   20 ratione] rationem Bu ‖ ad] et B   24 formatus] est *add.* Ro ‖ rationalis] rationabilis ErfNe ‖ ut] cum B ‖ angelus] angelis B   25 Constat] constet Ne   26 percepturus] perceperunt Bu

XIV. Liberum arbitrium homini fuerat indulgendum. *Proba hanc eo modo, quo probatur octava.

XV. Omnes cogitatus, sermones et actus humani ad deum tamquam ad[a] legitimum finem sunt ex debito dirigendi. *Nam cum ex libero arbitrio hoc homo possit, tenetur, quemadmodum quinta probatum est. 5

XVI. Voluntati hominis cum effectu, quantum in ipsa est, praemium et poenam aequum est compensari. *Bona enim voluntas praemio, mala autem digna est poena, quod ex descriptionibus bene vel male merendi apud deum elicies. Qui enim quod deo tenetur facere libens 10 deo solvit, bene meretur apud deum. Ergo mediante descriptione iustitiae dignus est praemio. Sed voluntatem bonam interpretamur bene merentem apud deum, id est quantum in ipsa est ad deum se dirigentem, quod praemissa proponit. Ergo bona voluntas digna est praemio. Sic in contrarium proba de mala. Praemium autem et poena secun- 15 dum magis et minus inferenda sunt, prout voluntas in bono vel malo fuerit intensa, sicut in descriptione iustitiae reperitur.

XVII. Voluntas bene merendi perpetua perpetua retributione est digna. *Cum enim, sicut praemissa docet, voluntati est praemium compensandum, si homo voluntatem habeat perpetuo famulandi deo 20 cum effectu, quantum in ipso est, et non stat per eum quin perpetuo vivat, recompensandum est perpetuum praemium sic volenti.

XVIII. Omnis res bene vel male merendo laborans praemio debet gaudere vel poena damnari. *Si enim aliter esset[a], non esset in deo iustitia, quae bene merentes remunerat et punit damnandos. 25

XIX. Bene merentium apud deum retributionem non mercedem sed gratiam esse constat. *Bene mereri enim proprie dicitur, qui sponte alicui bonum facit, quod facere non tenetur. Sed nihil deo facimus

---

1 XIV] XVIII Oma || eo modo] quomodo Ro || eo] eodem Oma   4 ad[a]] *om.* Bu || ex debito] *om.* OmaErf   5 quemadmodum] et *add.* B   7 effectu] affectu Ro   8 compensari] compensare Bu   10 deo] *om.* OmaBErfNeRo   16 magis] maius Oma BErfRo || vel] in *add.* Ro   17 reperitur] reperiturum Ne   18 Voluntas] dei (hominis *s.lin.*) *add.* Ro || perpetua] *om.* Oma   19 sicut] *om.* Ro || docet] doceat Ro || est] *om.* Ro || praemium] esse *add.* Ro   21 et] *om.* Ne || stat] stet B || quin] in *add.* B   22 praemium] *om.* B || sic volenti] suae voluntati B   24 esset[a]] *om.* Erf   25 quae] qui Ro   28 deo] boni B

quod non teneamur facere, sicut XV est assertum. Ergo meritum nostrum apud deum non est proprie meritum, sed solutio debiti. Sed non est merces nisi meriti praecedentis. Sed non meremur proprie. Ergo quod dabitur a deo, non erit merces sed gratia.

XX. Bonum quod in deo est, bene merenti confertur. Corollarium: Unde manifestum est deum bene merentibus se ipsum conferre. *Quarta et XIII probant praesentem. Nam cum angelus et homo ad divinam sapientiam percipiendam facti sunt, ergo percipere debent divinum bonum. Ergo bonum, quod est in deo. Et sic propositio patet. Nullum autem bonum in deo est quod non sit deus, sicut XX primi libri, si bene meminimus, manifestat. Ergo bene merentibus deus dat id quod deus est, ergo se ipsum. Et sic corollarium patet.

XXI. Humana fragilitas a bono statu facilem ruinam incurrit. *Nam sicut XIII probatum est, de vilissima materiarum homo exstitit factus, ergo de fragili, quia de terra. Ergo facile corrumpi potest et ad casum impelli.

XXII. Mentis inquinamentum desiderat ablui et extergi. *Cum enim mens vitiis est corrupta et sordida, ablui et mundari desiderat.

XXIII. In cogitationibus, verbis, operibus malis corrigendis consilium est quaerendum. *Cum enim morbus in homine curandus est, sicut praemissa proponit, quis ambigat super hoc esse medicum consulendum?

XXIV. Corporis fragilitas indiget remedio sublevari. *Hanc proba sicut et ante praemissam.

XXV. Multiplex morbi causa multiplicis indiget remedio medicinae. *Cum enim fragilis naturae sit homo, ut XXI proponit, et ob hoc male

1 facere] *om.* B || sicut] in *add.* B || XV] V BOma propositione *add.* Ne   2 Sed] sic Ro   3 meremur] merentur Oma   4 erit] proprie *add.* B || gratia] et sic patet propositum *add.* B   6 bene] *om.* Oma   7 XIII] proponunt et *add.* Ne   9 Ergo bonum] *om.* B   10 XX] besser: XIX   11 si bene meminimus] *om.* Ro || deus] *om.* Ro   12 Et . . . patet] *om.* Ro || sic] propositum *add.* Ne   13 facilem] facile OmaB   14 sicut] in *add.* B || exstitit] exsistit B   15 facile] de facili Ro || casum] ruinam B   17 extergi] abstergi B   19 operibus] operationibus B   20 morbus] quidam habent morbum *i.m. add.* Oma   21 hoc] hunc Ro *s. lin.* Oma   23 proba] probat Ro   24 et] *om.* BuErfNeRo

merendi morbum incurrit de facili, indiget remedio, ut in statum debitum relevetur. Sed multae sunt morbi causae. Morbum autem hic dicimus malum, id est boni status defectum, sicut in praemissis apparet. Ergo ad multas causas multa sunt adhibenda remedia, quod propositum erat.

XXVI. Creber casus crebrum expetit auxilium resurgendi. *Hanc sicut et praemissam probabis.

XXVII. Ut homo sanior et fortior fiat, instandum est multiplicibus adiumentis. *Ista propositio per XXV apparet.

XXVIII. Forma hominis per abusum deformis effecta indiget reformari. *Si formae descriptionem attendas, invenies eam ex proprietatibus concurrentibus constare. Cum ergo homo motus suos ceterasque proprietates tam mentis quam corporis in dei voluntatem minime convertit, male utitur eis. Ergo abutitur eis. Ergo abutitur sua forma. Ergo ipsam deformat. Ergo^a corrumpit. Ergo indiget in debitum statum revocari per XXII, ergo in pristinam formam. Ergo indiget reformari.

XXIX. Male merens apud deum deo iniuriosus exsistit. *Quemadmodum XV comprehensum est; homo se et quidquid in eo est in honorem dei ex debito tenetur convertere. Sed si se et quidquid in eo est subtrahit deo, deum inhonorat. Ergo deo iniuriosus exsistit. Sed se et sua subtrahere deo^a est male mereri. Ergo male merens deo iniuriosus exsistit.

XXX. Male merens in infinitum magna puniendus est poena. *Male enim merens deo iniuriosus exsistit, sicut praecedenti assertum est, et iuxta quintam communem animi conceptionem iniuriosus tanto maiori dignus est poena quanto maior est, cui infertur iniuria. Sed omni re in infinitum maior est deus. Ergo deo iniuriosus in infinitum

---

1 morbum incurrit] incurrat morbum B   2 relevetur] revocetur Ro ‖ autem] *om.* Ro   3 id] *om.* Ne ‖ est] et Ne ‖ praemissis] praemissa B   7 et] *om.* Erf NeRo   9 propositio] probatio Ro ‖ XXV] XV Oma   11 attendas] in primo libro *add.* OmaB   12 concurrentibus] incurrentibus Ro ‖ ceterasque] ceteras Ro   13 dei] *om.* Ro ‖ convertit] convertat Ro   14 utitur] abutitur Ro   15 Ergo^a] et B ‖ corrumpit] eam *add.* Oma   16 per ... formam] *om.* Ro ‖ XXII] XXIII Erf ‖ Ergo indiget reformari] *om.* Ro   17 Quemadmodum] in *add.* B   20 deum ... deo^a] *om.* Oma   23 magna] *om.* OmaErf ‖ est] *om.* Ro   24 praecedenti] propositione *add.* BNeRo ‖ et] *om.* B   25 iuxta] autem *add.* B ‖ communem] *om.* BRo

magna dignus est poena. Ergo a primo male merens in infinitum
magna est poena puniendus.
Explicit liber secundus.

Incipit liber tertius agens de incarnatione filii dei, XVI continens pro-
5 positiones.
I. Homo lapsus et paenitens debuit divina misericordia visitari. *Cum
enim ex propria fragilitate sit homo in lubrico constitutus, sicut XXI
secundi libri probatum est, si ceciderit et paenitet, de ruina misericordiam, id est de debita poena relaxationem, ipsum consequi pium et
10 iustum est.

II. Lapsum hominem oportuit ad percipiendam divinam gloriam repa-
rari. *Cum enim caritas et humilitas dei humanae naturae fragile fig-
mentum angelis in gloria congaudere decreverint, oportuit ut homo ad
illam gloriam perveniret, sicut XIII secundi libri declaratur. Sed etsi
15 per peccatum lapsus est et indignus effectus ad illam beatitudinem
attingere, tamen fragilitatis suae intuitu debuit, sicut praemissum est,
per misericordiam relevari. Ergo etsi lapsus esset, fuit ad praedestinatam gloriam reparandus. Et sic propositum patet.

III. Hominis culpam debuit homo satisfactione delere. *Iustius enim
20 fuit quod hominis culpam homo deleret quam angelus vel alia creatura. Sed si divinam iustitiam attendamus, quae culpam impunitam
numquam dimittit, oportuit quod culpam satisfactio sequeretur. Ergo
homo debuit satisfacere pro hominis culpa. Et hoc erat propositum.

1 dignus . . . magna] *om.* Oma ‖ Ergo . . . puniendus] *om.* B   2 est poena puniendus]
dignus est poena Ne   3 Explicit liber secundus] *om.* ErfNe   4 Incipit . . . proposi-
tiones] *om.* Erf ‖ liber] *om.* OmaRo ‖ agens . . . dei] de incarnatione (filii dei agens *corr.*)
Oma de filio dei incarnato pro homine redimendo B ‖ incarnatione filii dei] Christi
incarnatione Ro ‖ XVI continens propositiones] *om.* Ne ‖ continens] *om.* Oma ‖ propo-
sitiones] incipiunt propositiones vel theoremata *add.* Ro   6 debuit] debet
B   7 ex . . . homo] homo ex propria fragilitate est B ‖ sit] est OmaB ‖ sicut] si Ro ‖
XXI] XX Ne   8 probatum est] propositum est et probatum Oma sed *add.* Ne ‖ ce-
ciderit] crediderit BuErfNe ‖ paenitet] paenituerit ErfNe   9 id est] et Bu ‖ de] *om.*
Ne ‖ debita poena] paenitentia debita Oma ‖ et] *om.* Oma   11 percipiendam] par-
ticipandam B   12 dei] *om.* Ro   13 angelis] cum gloriosis OmaB ‖ decreverint]
decreverunt OmaErf decrevit B   14 declaratur] declaratum est Ne ‖ etsi] etiam si
B   16 tamen] cum Oma *om.* B ‖ sicut . . . relevari] per divinam misericordiam relevari sicut praemissum B ‖ sicut] prima *add.* Bu   17 etsi] si et Ro ‖ esset] est Bu *om.* B
‖ fuit] tamen *add.* Ne ‖ praedestinatam] praedestinandam B ‖ reparandus] est *add.*
B   19 Iustius] iustus BRo   21 si] *om.* Ro

IV. Satisfactione hominem reparare neque homo neque angelus potuit neque alia creatura. *Conferenti praedicta veritas apparebit per XXX secundi libri: Male merens in infinitum magna puniendus est poena. Sed homo vel alia creatura ad tantam satisfactionem non posset sufficere. Quare propositum patet. Item alio modo: Quidquid umquam potest homo facere recte, in honorem et laudem dei ex debito tenetur convertere, sicut XV secundi libri manifeste perstringitur. Sed iuxta descriptionem satisfactionis peccati satisfactio est factum, quod non nisi propter reatum debetur. Et iuxta dignitatem eius, contra quem peccatum est, debet satisfactio compensari, sicut paenultima communi animi conceptione proponitur. Deus autem in infinitum dignus est. Ergo quidquid potest homo facere, non est satisfactio sufficiens peccati. Ergo homo non potest satisfacere pro peccato sufficienter, et sic nec alia creatura. Quare propositum patet. Item etsi posset satisfacere, non posset tamen per se ad praedestinatam gloriam hominem reparare.

V. Opportunum fuit deum satisfacere pro homine. Corollarium: Unde manifestum est deum hominem factum reparaturum fuisse genus humanum. *Opportunum siquidem fuerat divinam gloriam esse homini communicandam, sicut XIII secundi libri proponit. Sed peccaverat. Ergo oportuit peccatum satisfactione deleri, sicut III dicebatur. Sed nulla creatura satisfacere poterat ad plenum, sicut IV probatum est. Ergo restat a deo hominem reparandum. Et sic propositio patet. Sed aequum fuit hominem hominis culpam delere, sicut per III est coniectum. Ergo oportuit deum esse hominem, qui satisfaceret pro creatis. Et sic corollarium patet.

---

1 IV] nihil naturalius est . . . quodlibet eodem iure di . . . vi quo colligatum . . . *i.m. add.* Oma ‖ hominem] *s.lin.* Ne   2 Conferenti] enim *add.* B ‖ veritas] necessitas Erf   3 XXX] XXXI Ro XXI Erf ‖ Male] enim *add.* B   5 Quare] et ita Ro ‖ umquam potest] potest umquam homo BNe   6 recte] *om.* Bu   7 manifeste perstringitur] perpenditur Ro   9 propter] per Oma   11 communi] *om.* Ne ‖ dignus] dignius Ne   12 est] et cetera *add.* Ne ‖ facere] satisficare BNe   14 nec] non Ro ‖ posset] potest B   15 non . . . gloriam] pro peccato non tamen posset ad praedestinatam gloriam per se B   16 reparare] revocare Ne   18 est] per *add.* OmaB ‖ reparaturum] reparatum OmaBErf   20 XIII] II BErfRo II (XIII *i.m. corr.*) Ne ‖ secundi] huius Ro ‖ Sed] si B   21 III] IV huius libri Ro XIII Erf XIII (XXIII secundi vel III huius *i.m. corr.*) Ne   22 poterat] potuit OmaNe potuerat Ro ‖ IV] huius *add.* Ne   23 a deo hominem] hominem a deo esse Ne ‖ hominem] *om.* Ro ‖ propositio] propositum NeRo   24 fuit] per *add.* Ro ‖ III] huius *add.* Ne   25 creatis] erratis ErfNeRo peccatis creaturae B   26 corollarium patet] patet propositum et corollarium B

VI. Secunda persona in trinitate ad uniendam sibi humanam naturam fuit convenientius destinanda. *Secunda persona in trinitate est filius, qui auctor est formae, si XXV primi libri tenorem attendas. Sed deus debuit deformem per culpam hominem reformare, sicut XXVIII se-
⁵ cundi libri probatum est. Convenientius ergo fuit, ut auctor formae formam hominis reformaturus humanae uniretur naturae.

VII. Homo reparator pro lapso homine deo debuit se offerre. *Nam cum homo, qui se et quidquid potest deo debet, per peccatum se et opera sua deo subtrahit, tendens ad alium finem quam ad deum, sicut
¹⁰ XV secundi libri proponit, pro homine deo subtracto hominis reparator se deo debuit reddere et offerre.

VIII. Oblatio debita pro homine redimendo sincera esse debet et ab omni peccati contagio aliena. *Deo enim offertur, ut praemissa proponit, oblatio, et ipsa est dei patris filius, ergo est deus. Ergo in quo nul-
¹⁵ lum est malum, quemadmodum disceptatum est prima secundi libri. Ergo in quo nullum peccati contagium.

IX. Ex muliere incorrupta carnem filius dei fuerat assumpturus, et ille dictus est Christus. *Decuit enim ipsum mundam hostiam futurum ex mundo vase prodire, et ex muliere, ut redemptor de peccantium ge-
²⁰ nere nasceretur, et de virgine, ne per virilis coitus peccatum labem caro tam sancta contraheret.

X. Pro peccatis lapsorum contumelias et terrores et mortis poenam redemptorem decuit sustinere. *Hoc per XXX secundi libri apparet. Cum enim peccato unius hominis in infinitum magna poena debetur,
²⁵ multo magis pro tot hominum redimendorum tot peccatis redemptor, quanto maiorem posset, poenam debuit sustinere. Sed non est maior in homine quam mors. Ergo mortem et contumelias et terrores ad plene satisfaciendum debuit sustinere.

3 auctor] actor Bu ‖ si] sicut Ro scilicet Erf ‖ tenorem attendas] tenor attendit Ro   4 hominem] *om.* Ro   5 auctor] actor Bu   8 peccatum] suum *add.* Ro   10 XV] XXV BuBErfNeRo ‖ proponit] proponitur BRo ‖ pro] ergo *praem.* B   11 et offerre] *om.* Bu   12 et] *om.* B   13 peccati] *om.* Ro   14 oblatio et ipsa] et ipsa oblatio Oma ‖ oblatio] *om.* BErfNeRo ‖ patris] *om.* B ‖ est] *om.* BuErfNeRo ‖ nullum] est *add.* Oma   18 ipsum] Christum Bu ‖ mundam] mundum Oma ‖ futurum] futuram OmaB   19 redemptor] *om.* Bu   20 et] *om.* B ‖ ne] nec Ro   23 libri] *om.* BuErfNeRo   25 hominum ... poenam] peccatis tot hominum redimendorum quanto redemptor maiorem poenam posset B   27 mortem] modo recte (vel recto *s.lin.*) Oma

XI. Hostia illa deo patri fuerat offerenda. *Quod deo[a] fuerat offerenda, VII comprobatur. Quod autem patri, quia filius et quia creatura debuit satisfacere creatori.

XII. Hostia illa, pro quolibet hominum quantislibet excessibus sufficiens, est satisfacere creatori. *Ipsa enim est deus, ergo quantumlibet 5 pretiosa hostia, ergo quantumlibet sufficiens ad delendum, ergo pro quantislibet peccatis quorumlibet hominum, ergo et pro illis omnibus, qui fuerunt et[a] qui sunt et qui nascentur. Et sic propositum patet.

XIII. Hostia haec deo patri crebris est ministeriis offerenda. *Haec XXVI theorematis secundi libri opitulatione munitur. Nam cum creber 10 casus crebrum expetit auxilium resurgendi, nec maius est auxilium quam praedicta hostia, et illud remedium nostris est crebris casibus apponendum.

XIV. Hoc remedium inutile est recusanti. *Qui enim recusat hoc remedium, recusat adiutorem deum. Ergo peccat. Ergo puniendus est. 15 Ergo indignum se facit hoc remedio. Ergo hoc remedium illi est inutile, quod erat propositum.

XV. Deus alio modo potuit genus humanum competenter redimere. *Cum enim ex XVIII primi libri deus sit omnia potens, potuit alium modum redemptionis instaurare et bonum et competentem, quia 20 quidquid ab[a] eo est[a], bonum est[b], et nullum in eo vel ab eo malum, sicut prima secundi libri declarat.

XVI. Expertem huius remedii ad gloriam nullatenus, sed ad[b] poenam potius pertinere. Cum enim in peccato natus sit homo, non est dignus divinam gloriam adipisci nisi fuerit divino remedio reparatus, sicut 25 secunda huius libri proponit.
Explicit liber tertius.

1 deo[a]] patri add. BuErf   2 VII] huius add. Ne || comprobatur] probatur B || et] om. Ro || creatura] fuit add. Oma   4 quolibet] quibuslibet Ro || hominum] et add. Ne   5 ergo] om. B   6 pro] om. Ro   7 et] om. Oma   8 et[a] qui sunt] om. Bu   9 Haec] hoc ErfNe et Ro   10 XXVI] XXVII BuBErfNeRo || theorematis] om. Ro || libri] et add. B   11 expetit] exspectit B expetat Ro || auxilium] om. OmaB   12 et] om. BuBErfNeRo || nostris . . . casibus] est casibus nostris crebro Ro || crebris] crebro BuErf   13 apponendum] opponendum OmaRo apparendum Erf   15 adiutorem] suum ergo recusat add. B deum ergo recusat add. Oma   16 inutile] in (utile s.lin.) Erf   21 ab[a]] in B || est[a]] om. B || nullum] est add. Ne || malum] est add. B   23 ad[b]] om. OmaB   24 potius] om. OmaNe   26 proponit] declarat Ro   27 Explicit liber tertius] om. ErfNe

Incipit liber quartus agens de sacramentis ecclesiae, novem continens propositiones.

Incipiunt descriptiones.
°Praedicatio est oratio salutem animae persuadens.
5 °Sacramentum est res visibilis gratiam invisibilem per quandam similitudinem repraesentans.
°Baptismus est ablutio aquae per invocationem trinitatis sanctificatae peccati ablutionem significans.
°Eucharistia est sacramentum corporis Christi sub panis et vini specie
10 exsistentis, cum panis in Christi carnem et vinum sit transsubstantiatum in sanguinem. Sub hac autem similitudine sacramentum hoc est institutum, quod quemadmodum panis et vinum sunt principale corporis alimentum, ita corpus Christi prae ceteris est fortius animae sustentamentum.
15 °Matrimonium est legitima coniunctio maris et feminae unionem Christi et ecclesiae repraesentans.
°Paenitentia est pro peccatis contritio ab eis cessare intendens per oris confessionem expressa.
°Dedicatio basilicarum, impositio sacrorum ordinum in ministris eccle-
20 siae, multiplex chrismatis et olei inunctio et quaedam alia sacramenta per exercitium devotionem excitant et reddunt hominem sanctiorem.
°Ecclesia est congregatio confitentium Christum et sacramentorum subsidium.

Incipiunt propositiones.
25 I. Praedicationem et sacramenta ecclesiae necessaria esse. *Audita enim efficaciter et efficacius visa animos movent, quae ultima est communis animi conceptio. Quare praedicatio animum inflectit et fortius sacramenta, quae sunt exteriora signa. Et quia ecclesia propter multi-

---

1 Incipit . . . propositiones] *om.* Erf || liber] *om.* OmaRo || agens] *om.* OmaBRo || ecclesiae] ecclesiarum Ro || novem continens propositiones] *om.* BNe || novem] none [!] (decem *s.lin.corr.*) Bu   3 Incipiunt descriptiones] *om.* Erf || Incipiunt] *om.* B   5 per] *om.* Ro   7 invocationem] sanctae *add.* NeRo || sanctificatae] sanctae B   8 peccati] peccatorum B   9 sub] *i.m.* Erf || et] aut BuErf   10 transsubstantiatum] transsubstatum Ne   11 in] Christi *add.* Ne || Sub] ab hier Text als eigene descriptio ErfNe || hoc est] *om.* B   12 quod] ut Oma dicitur quia B   13 ita . . . sustentamentum] *om.* B   18 expressa] expressam OmaErf   19 Dedicatio] balsamorum *add.* B || basilicarum] est *add.* Bu inanum *(vel)* in annum *add.* Ro || ordinum] collatio *add.* Ro   20 et olei] *om.* Ro   23 subsidium] expliciunt descriptiones *add.* Oma   24 Incipiunt propositiones] incipit Oma vel theorema *add.* Ro *om.* BErf   25 sacramenta] sacramentum Oma   26 et] *om.* Oma || communis] *om.* Bu BErfNe   27 conceptio] acceptio (vel con *s. lin.*) Oma || animum] animi Erf   28 propter] per B

plicem peccati morbum exigit multiplicis remedium medicinae, sicut
XXV secundi libri proponit, tam verbis quam signis excitandi fuerant
peccatores. Nam quae non prosunt singula, multa iuvant, ergo praedi-
catione et sacramentis, quod erat propositum.

II. Baptismi causam inquirere. *Cum ex praemissa corruptae carni in 5
peccato conceptae anima unita contrahat labem, exigit ob hoc ablutionis remedium speciale, sicut ex XXII secundi libri convicimus, qua dicitur quod mentis inquinamentum desiderat ablui et extergi. Ad quod
tollendum interius necessaria fuit exterioris ablutionis institutio, quae
per invocationem sanctae trinitatis sanctificata habet interioris mun- 10
dificationis effectum.

III. Eucharistiae causam scrutari. *Homo per fidem et paenitentiam
de peccato resurgens efficaci remedio indigebat, quod gratiam perse-
verandi in bono conferret. Sed nulla efficacior erat quam caro Christi.
Ergo necessarium fuit homini carni Christi communicare, quae sub 15
specie panis et vini, sicut instituit ipse Christus, a dignis assumpta ad
corporis et animae salutem proficiens Christi membra efficit assumen-
tes. Et ne recidivet in nobis malitia, hostia haec est crebris ministeriis
offerenda, sicut XIII tertii libri declarat. Porro in fide hac decesserunt
universae ecclesiae praelati post apostolos et illi, quorum meritis 20
magna et miranda miracula operatus est deus. Non igitur fidelis abhor-
reat sacramentum a Christo primitus institutum, sed eundem supplici
prece sollicitet, ut quod nunc specie gerimus, in aeterna gloria certa
scientia deprehendamus.

IV. Matrimonii causam investigare. *Ad cultum dei genus humanum 25
fuerat propagandum potius quam ad corporis lasciviam procurandum.

---

2 fuerant] fuerunt OmaB   3 quae] si B   5 praemissa] massa Ro || corruptae]
corruptela ErfNe corrupta OmaBRo || carni] carne B   6 conceptae] concepta B ||
unita] in vita BErf || contrahat] contrahit Ro || ablutionis] absolutionis Erf   7 XXII]
XX B || libri] om. Bu || qua] quia BuBRo   9 exterioris] interioris Oma   10 sanc-
tae] om. BuErf || sanctificata] om. B   12 paenitentiam] potentiam B   13 quod] ei
add. Ne   14 nulla efficacior] nullum efficacius B   15 homini] s. lin.
Oma   18 ministeriis] mysteriis Oma   19 tertii] secundi Oma || decesserunt] re-
cesserunt B   20 universae] universi OmaB || praelati] om. Ro   21 igitur] ergo
Oma   22 eundem] Christi scilicet s. lin. add. Oma || supplici] simplici Ne   23 sol-
licitet] om. Ro || quod] quid B || specie] spe B   24 deprehendamus] comprehenda-
mus B comprehendamus (vel de s. lin.) Oma   25 dei] fidei Ro   26 ad ... procu-
randum] per carnis lasciviam procreandum Oma per corporis lasciviam procreandum
Erf corporis lasciviam procreandum Ne corporis lascivia procreandum Ro || ad corporis
lasciviam] contra ius lasciviam carnis B

Unde continere nolentibus indultum est commercii maritalis remedium, ut talis commixtio per bonum matrimonii excusetur, ut agnita
parentela inter coniunctos linea consanguinitatis augeat caritatem. Et
ita corporis fragilitas sublevatur, sicut XXIV secundi libri proponit.

5 V. Paenitentiae causam rimari. *Cum virtus baptismi baptizato cha-
racterem imprimit Christianum, qui nullo possit obliterari reatu incur-
renti criminis recidivum, supervacuus esset iteratus baptismus. Nam
actum agere esset, si quod habet Christianus, ei iterum conferetur. Et
sic iniuria fieret sacramento. Oportuit ergo, ut post baptismum lapsus
10 corde contrito deum et ore hominem consulendo recidivo morbo adhi-
beret paenitentiae medicinam, sicut XXIII secundi libri proponit.

VI. Multiplicium in ecclesia dei sacramentorum causas multiplices ex-
plicare. *Ad reatus delendos, ad confirmandum hominem in bono, ad
fragilitatis remedium, ad gratiam conferendam, ut dictum est, quae-
15 dam inventa sunt sacramenta, sicut XXVII secundi libri proponit. Praeterea personae, quae conferunt ea, et loca, quibus etiam conferuntur,
sed et instrumenta, tam quibus utuntur conferentes quam ex quibus
ea conficiunt, opportunum fuerat consecrari. Et sic utile fuit sacramentum multiplex instaurari.

20 VII. Fideles Christi sacramentorum fidem habere constat. *Fideles
enim Christi sunt ecclesia Christi, et ecclesia est congregatio confitentium Christum et sacramentorum subsidium. Ergo confitentur subsidium sacramentorum, ergo virtutem sacramentorum. Ergo habent
fidem eorum, quod erat propositum.

25 VIII. Fides sacramentorum exigitur bene merentibus apud deum. *Dicet Catharus falsum esse. Ponatur igitur bene merentem apud deum

---

1 nolentibus] volentibus BuErf || commercii maritalis remedium] remedium hoc est
commercii matrimonialis B   2 ut] et OmaB   4 XXIV] XX BuB || libri] om.
BuNe   6 imprimit] imprimat B || Christianum] Christiano B || qui] quia Ro ||
nullo . . . incurrenti] post non potest incurrere orginalis B || nullo] modo add. Oma in illo
Ro   7 esset] esse B || iteratus] reiteratus OmaB   8 esset] ecclesiae esse frustra B
|| Christianus] om. B   9 fieret] esset Oma a add. Erf || lapsus] lapsum Bu   10 ore]
om. B || recidivo] redivivo Ro || adhiberet] adhiberetur Bu   11 medicinam] medicina
Bu || sicut . . . proponit] om. B || XXIII] XXIV Erf   12 dei] om. Ro   13 bono] bo-
num B   14 conferendam] conservandam Ro   15 XXVII] XXV B || Praeterea] et
add. B   16 loca] in add. ErfNe || etiam] om. Ro   21 et] om. Erf || ecclesia] Christi
add. Ro   23 virtutem] habent add. B   24 eorum] illorum Ro || erat] fuit
B   25 Dicet] licet Ro   26 esse] est OmaB dicat praem. Ro || igitur] ergo B

non habere fidem sacramentorum. Ergo non confitetur sacramentorum subsidium. Ergo non est de ecclesia, a descriptione ecclesiae. Ergo
non est de fidelibus Christi. Ergo non bene meretur, quod est contra
hypothesim.

IX. Alicui nondum baptizato neque recusanti neque pravam conscien-   5
tiam habenti collatus confert baptismus. Corollarium: Unde manifestum est parvulis et mente captis efficacem esse baptismum. *Propositio sic probatur: Baptismus est sacramentum fidelium. Ergo a descriptione sacramenti gratiam invisibilem repraesentat et ablutionem inter-
iorem designat. Ergo eo collato digne recipienti signatur ablutio inter-   10
ior. Ergo digne recipiens abluitur interius. Ergo ei confert. Sed si aliquis recipit[a] baptismum et non recipit[b] digne, aut prius baptizatus est
aut[a] recusat baptismum aut cum prava conscientia accedit. Ergo a
destructione consequentis, si recipit baptismum et neque talis neque
talis est, recipit digne. Ergo ei confert baptismus, qui neque[a] talis ne-   15
que[b] talis est, quod erat propositum. Sed ut corollarium probetur, par-
vuli et mente capti neque[a] tales neque tales[a] sunt. Ergo eis efficax est
baptismus. Baptizato autem non confert baptismus, ne iterato fiat iniuria sacramento. Recusanti non confert. Nam si recusat, non credit.
Et si non credit, non est fidelis Christi, sicut VII huius libri probatum   20
est. Ergo non confert ei. Item pravam conscientiam habenti non valet
ad praesens. Talis enim voluntas digna est poena, sicut XVI secundi
libri proponitur. Ergo non[a] est digna praemio. Ergo non[b] est digna ab-
lutione peccati.
Explicit quartus liber.   25

2 descriptione] ipsius *add.* B   5 IX] X Bu ‖ neque] non Oma   7 est] *om.*
B   8 fidelium] *om.* BuNeRo ‖ a] sui *add.* Ro   9 sacramenti] *om.* BuErf
NeRo   10 eo] *om.* Ro ‖ signatur] significatur B   12 recipit[a]] recipiat Ne ‖ recipit[b]] *om.* B ‖ aut prius] qui Ro ‖ prius] *om.* Bu ‖ est] *om.* B   13 aut[a]] non *add.* B ‖
accedit] accedat B ‖ Ergo] *om.* Ro   14 consequentis] non confert sed *add.* Ro ‖ si] sic
OmaNe   ‖   et . . . digne] nondum   baptizatus   B   *om.*   Oma   ‖   et]   *om.*
Ro   15 Ergo . . . baptismus] *om.* Oma ‖ Ergo] *om.* B ‖ baptismus] *om.* B ‖ neque[a]]
nec B ‖ neque[b] talis est] est neque talis sit B   16 quod erat propositum] sicut propositum est B   17 et] vel BErfNeRo ‖ neque[a] . . . tales[a]] tales non B   18 Baptizato . . . baptismus] *om.* Ne ‖ ne] neque Ro   19 Recusanti] autem *add.* B ‖ Nam] quia
B ‖ Et] *om.* B   21 valet] confert B   23 non[a]] *om.* B ‖ non[b]] *om.* B ‖ ablutione]
absolutione Bu ablutio Ro   25 Explicit quartus liber] *om.* ErfNe

Incipit quintus agens de resurrectione, septem continens propositiones.

Descriptio resurrectionis: Resurrectio est animae et corporis morte separatorum iterata coniunctio.

5 I. Tam animae quam corpori pro facti qualitate poena vel praemium est conferendum. *Utrumque enim bene vel male merendo laborat. Omnis enim res bene vel male merendo laborans praemio debet gaudere vel poena damnari, sicut XVIII secundi libri proponit. Ergo tam corpus quam anima, sicut propositum erat, pro facti qualitate sibi sentiet compensari.

10

II. Totus homo retributionem perpetuam consequetur. *Totus quidem, quia corpus et anima, sicut praemissum est, perpetuam autem, quia voluntas hominis perpetua^a perpetua^b retributione gaudebit, sicut XVII secundi libri astruitur. Idem autem probare poteris de retributione peccati.

15

III. Homo resurget carne, quam habuit, et anima sua denuo pariter uniendus. *Nisi enim resurgeret, non compensaretur ei toti perpetua retributio meritorum, cum totus, ut praedictum est, eam debeat obtinere. Caro autem, nisi fuerit spiritu vegetata, damnationem vel gloriam sentire non poterit. Ergo spiritui unietur. Sed in resurrectione hominis nova caro, quae non meruit, non debet assumi, sed illa, in qua meruit; et idem spiritus pari modo. Nam si alia caro vel alius spiritus assumeretur, alius esset homo, qui nihil prius meruerat. Et sic caro, quae meruerat, non resurgens nullam retributionem penitus obtineret, quod est contra XVIII secundi libri.

20

25

1 Incipit] liber *add.* BNe ‖ Incipit . . . resurrectione] *om.* Erf ‖ agens] *om.* OmaB ‖ septem continens propositiones] *om.* BErf   3 Descriptio resurrectionis] prima propositio B et primo definit resurrectionem postea ponit primam propositionem Oma *i.m.* Bu   4 coniunctio] incipiunt propositiones *add.* NeRo   5 poena] poenam B   6 est] *om.* B ‖ conferendum] conferendo B ‖ laborat] *om.* Bu   7 Omnis . . . merendo] *om.* Bu ‖ enim] autem BRo ‖ res] *om.* Ro ‖ gaudere] congaudere Ne   8 libri] *om.* Ro   10 compensari] recompensari B   11 perpetuam] *om.* Ro   12 quia] scilicet B et *add.* ErfNe ‖ perpetuam] perpetua BRo   13 quia] ut *add.* Ne ‖ perpetua^a] est *add.* Ne ‖ perpetua^b] *om.* Oma   14 poteris] potest B   16 habuit] habet BuErfNe ‖ denuo] *om.* Ro   17 uniendus] uniendis BuBNe dis *s. lin. add.* Oma ‖ resurgeret] resurgerent Ro ‖ compensaretur] recompensaretur B ‖ ei] *om.* Oma   19 gloriam] gratiam B   21 illa] eadem *add.* B   23 assumeretur] sumeretur B ‖ esset] esse B ‖ Et . . . meruerat] *om.* Ro ‖ Et sic] et si Oma   24 quae] nihil prius *add.* B ‖ resurgens] resurgeret Oma ‖ obtineret] obtinet B   25 contra] *om.* Ro

IV. Ad omnes tam maiores quam minores resurrectionem generaliter pertinere. Corollarium: Unde manifestum est Christum a mortuis resurrecturum fuisse. *Si enim discretionem habet, homo bene vel male meretur. Ergo ad poenam vel ad[a] praemium resurget. Si vero minor vel mente captus est, aut sacramentis adiutus est aut non. Si adiutus est[a] sacramentis, cum non stet per eum, quin actu mereatur, nihilominus gloriam obtinebit, sicut ex[a] II quarti libri et ex[b] XIII secundi elici potest. Si autem non est adiutus sacramentis neque operibus, resurget nihilominus id, ad quod praescitus est, obtenturus, sicut ultima tertii declaratur. Quae autem caro carne Christi gloriosior, quae magis meritis pollens? Unde haud dubium est ipsam in gloriam resurrexisse.

V. Corpus incorruptibile expersque defectus resurrectio coaptabit. *Cum enim retributionem perpetuam consequetur, tale futurum est quod corrumpi aut solvi non queat. Cum debeat sine fine durare et cum incorruptibile sit, non potest deficere. Ergo materia defectus in eo esse non potest.

VI. Sancti in gloria perfectae scientiae caritatisque retributione gaudebunt. *Gloria est gaudium ex bonorum felicitate proveniens. Deus autem suam communicaturus gloriam sanctis tam angelis quam hominibus, sicut IV et XIII secundi libri proponunt, ipsos bonis suis faciet abundare. Quae autem maiora bona sunt quam sapientia et caritas? In illa siquidem gloria sancti, qui secundum XX secundi libri deum habebunt praemium, ipsum perpetuo facie ad faciem contemplabuntur. Et quae nunc imaginantur per speculum in aenigmate divina secreta, tunc plenitudine scientiae comprehendent. Astricti etiam erunt in

1 generaliter] *om.* Ro   2 resurrecturum] resurrectum Oma   3 homo] ut *add.* Ro   4 ad[a]] *om.* BuRo || vero] enim B   5 aut] vel Ne   6 est[a]] in B || cum] et OmaB || stet] stat OmaBErfNeRo || mereatur] meretur Bu   7 ex[a]] in B || II] besser IX || et . . . secundi] *om.* B || ex[b]] *om.* OmaErf || XIII] III Ro || secundi] libri *add.* OmaRo   8 adiutus . . . operibus] sacramentis vel operibus adiutus *corr.* Oma || neque] vel B   9 id] ad *praem.* OmaErf || praescitus] praeteritus Oma || tertii] libri *add.* Oma   10 carne] *om.* B || quae] quis B   11 ipsam] hanc B || in] *om.* Ro || gloriam] suam *add.* B || resurrexisse] surrexisse ErfNe   12 coaptabit] captabit BRo   13 consequetur] consequitur Ne   14 Cum] non B || et] si debeat sine fine damnari *add.* B   15 incorruptibile] incorruptibilis B || deficere] desidere Erf   17 scientiae] sapientiae B   18 ex] aliorum *add.* B   19 suam] suis OmaB   20 et] *om.* Ro || proponunt] proponit Oma proponitur B || faciet] *depr.* B   22 XX] XXI Ro || libri] *om.* ErfNe   23 praemium] pro praemio OmaB   24 imaginantur] imaginamur BuErfNe

regno illo tanto caritatis affectu, ut minimus in maximo gloriam suam usque adeo esse gaudebit, ac si eandem ipsemet obtineret. Quid mirum, cum deus summa caritas, summa sapientia in ipsis erit et ipsi in deo? Erubescant igitur Machomitae, qui mulierculas et miri saporis
5 cibos, delicias, siquidem bestiales, terrenas, non caelestes, corporis non animae resurrectionem promittunt.

VII. Tormento perpetuo damnatorum nulla maior est poena. *Quod enim damnum maius quam deum amittere, ad cuius gloriam obtinendam factus est homo, sicut XIII secundi libri proponitur? Et poenarum
10 levissima, si perpetua est, gravior est gravissima temporali illis, quos vermis conscientiae perpetuus remordebit, qui secundum ultimam secundi libri in infinitum magna puniendi sunt poena. Et sic propositum patet.
Explicit quintus liber de arte fidei catholicae.

15   *2 Potentia est vis*

°Potentia est vis facilis aliquem motum operari.
°Scientia est vis comprehensiva causarum, per quas et propter quas aliquid habet esse. Quae scientia, si bonis usibus naturaliter accommoda est, sapientia solet dici.
20 °Voluntas est vis applicativa ad eligendum, quod magis exsistat. Quae quidem voluntas, si ad bonos usus naturaliter inflexa est, bonitas solet dici.

1 minimus] minus B ‖ suam] *om.* B   4 deo] erunt *add.* Oma ‖ igitur] ergo BRo ‖ Machomitae] Machanitae B   5 siquidem] etiam Ro ‖ corporis] corpori Ro   6 resurrectionem] resurrecturo ErfNeRo   7 nulla] *om.* B   8 enim] est *add.* B ‖ maius] magis (maius *s.lin.*) Oma magis Erf ‖ amittere] admittere Ro   9 libri] *om.* BuErf ‖ proponitur] proponit OmaBErfNeRo   11 perpetuus] perpetuis Ro   12 libri] *om.* BuErfNe   14 Explicit . . . catholicae] *om.* Ne ‖ quintus] *om.* BErf Ro ‖ liber] Alani (Michaelis Scoti *corr.*) *add.* Erf Alani *add.* B ‖ arte] articulis B ‖ catholicae] et liber totalis Oma seu de maximis theologiae 1394 Coloniae conscriptus *add.* Erf *om.* B   16 Potentia] Incipit de filio dei O Sextus liber *praem.* Sp Liber sextus *praem.* R Incipit liber magistri N. Arabianensis de arte fidei catholicae *praem.* Z Liber de trinitate *praem.* H Scientia est vis *praem.* VI *i.m. add.* U ‖ facilis] facile H faciens Re ‖ aliquem motum] motum aliquem HNe ‖ motum] *dub.* U   17 Scientia . . . aliquid] *om.* O ‖ comprehensiva] apprehensiva BasHNeOmeReU ‖ et propter quas] *om.* Ome   18 aliquid] aliud R ‖ esse] *om.* U ‖ Quae] quo Bas ‖ naturaliter] *om.* Z ‖ accommoda] accomodata IrRZBasHOReU b   19 dici] scientia est vis apprehensiva causarum per quas et propter quas aliquid *add.* O *om.* R   20 Voluntas] *om.* R   21 est] *om.* U ‖ solet] scilicet Re   22 dici] et *add.* U

°Ab alio dicimus aliquid procedere, cum in procedente intellectu deprehendimus illud a quo procedit. Verbi gratia: Licet ratio et discretio
pares appareant, de discretione substantiae rationalis intellege, tamen
in discretione rationem intellegas. A ratione enim habet, quis quod
discernat. Unde dicitur quod discretio ex ratione procedit et sine ea 5
esse non potest.

I. Ea differre constat, quorum est ratio substantiae diversa. *In ratione
enim substantiae, id est definitione sive convertibili descriptione, proprietates ponuntur, quae docent nos substantiam differre. Differre autem faciunt proprietates et formae. Quae descriptio est in initio primi 10
libri de arte fidei catholicae.[1] Ergo proprietates in definitionibus diversis positae faciunt definita differre.

II. Potentiam, sapientiam, bonitatem necesse est inter se differre. *Supra dictae enim descriptiones eorum diversae sunt. Ergo per praemissam propositionem constat ea differre. Ad hoc etiam faciunt philoso- 15
phicae rationes. Quaelibet enim eorum intellegi potest alio minime in-

1 alio] aliquo IrRZL b || dicimus] dico Ne || aliquid] aliud Ne *om.* OZ || procedere]
praecedere R || in] quod Re *om.* H || procedente] praecedente RBasHOReU || intellectu]
aliquid *add.* IrRZ || deprehendimus] comprehendimus vel deprehendimus R deprehen-
damus BasOU apprehendimus HOme   2 illud] illum Ome || Licet] latet Bas dicet
Ome || discretio] *depr.* Ir   3 pares appareant] *om.* Re || discretione] tamen *add.* DSpL
tantum *add.* IrRZ b || substantiae rationalis] rationabilis substantiae Bas || intellege] in-
tellegere RRe intellegite Bas intellegit O || tamen] cum IrOmeR tantum O quia
L   4 in discretione rationem] in descriptionem H || discretione] definitione Ome ||
rationem] rationum OU || intellegas] intellegis DSpHNeL intellegens OU intellegit
OmeRe || enim habet] *om.* Re   5 discretio] descriptio H *om.* Re || ex] a IrRZNeL
b   6 potest] in ratione *add.* Ome   7 Ea] ad Ome || In] ea differre etiam
Re   8 enim substantiae] intellege Z || enim] differre *add.* Bas *om.* Re || id . . . descrip-
tione] *om.* Ne || id est definitione] *om.* BasOme || id est] *om.* OReU || id] idem H || est] in
add. L || definitione] differe OReU || sive] sine ReU || convertibili] convertibiliter HR ||
descriptione] *om.* BasHOOmeReU || proprietates] proprietate BasOOmeReU   9 po-
nuntur] *om.* Re || docent] docet O || nos] *om.* BasOOmeReUL || substantiam] subiectum
Re || differre] definiri DSpL definire R definiti HNeRe definitum Ome || autem] aut
OmeRe   10 faciunt . . . formae] proprietates ex formae faciunt Bas || proprietates]
proprie R || Quae] quaedam H quod U   11 de arte] et articulis R || arte fidei] *ver. et
corr.* O || Quae] articulis Re || in] *om.* L   12 faciunt] *om.* Ome || definita] differentia
OOmeU   14 enim] *om.* BasHOOmeReU || eorum] *om.* ZNeU b   15 propositio-
nem] descriptionem BasHOReU *om.* Ne || Ad . . . rationes] *om.* Ne || etiam] enim Bas
om. L || philosophicae] praehabitae Z b *om.* L   16 rationes] *depr.* O || Quaeli-
bet . . . differunt] *om.* Ne || Quaelibet] qualibet Ome quodlibet L || eorum] earum IrRZH
b sive alia Bas sine alia OOmeReU || alio . . . differunt] *om.* U || alio minime intellecto]
om. BasOOmeRe

[1] Vgl. Ars I, descr.; 78,14.

tellecto, ergo differunt. Item si qua causa habeat potentiam aliquid faciendi, non sequitur quod habeat scientiam sive sapientiam, et si sapientiam, ut faciat, non ideo bonitatem, id est bonam voluntatem, ut id[a] faciat. Cum ergo in aliqua causa inferiori una potest esse sine alia,
5 necessario non sunt idem, sed necessario sunt. Ergo necessario differunt. Et sic propositum patet.

III. Quidlibet per potentiam habet esse. *Quod sic probatur: Motus sunt generatio et corruptio et[a] aliae quattuor species, quas initium saepe dicti libri distinguit.[2] Generatio autem est ingressus in substan-
10 tiam, id est cum quid transit de non esse ad esse[a]. Corruptio est egressus a substantia, id est cum quid transit de esse[a] ad non esse[b]. Nihil autem est, quod non contingat esse per aliquem sex motuum. Ergo per causam efficientem motum illum secundum communem animi conceptionem, quae est in saepe dicto libro primo: Omnis res habet
15 esse per illud, et cetera,[3] ergo per causam operatricem motus illius,

1 Item . . . faciat] *om.* Ne ‖ qua] aliqua Bas ‖ qua causa] *depr.* O ‖ habeat potentiam] potentiam habet DSpBasORe potentia habet OmeU ponatur habet H ‖ aliquid] quid Z   2 sive] vel R et ReL *depr.* O ‖ sapientiam] potentiam Bas ‖ et . . . faciat] *om.* Re ‖ et si sapientiam] *om.* L   3 sapientiam] habet *add.* H ‖ id est] scilicet ZOme   4 id[a]] illud ZReL idem H ‖ Cum . . . sunt] *om.* Ne ‖ in] *om.* U ‖ aliqua causa] *depr.* O ‖ aliqua] alia D ‖ causa] *om.* Z ‖ una] unum BasHOOmeRe ‖ potest . . . alia] sine alia potest esse R sine alio potest esse U ‖ sine] sive Ome   5 alia] alio BasHOOmeRe altera L ‖ idem] *om.* Ome ‖ sed necessario sunt] *om.* RH ‖ necessario sunt] *depr.* O *om.* Ome sunt necessario L ‖ Ergo necessario differunt] *om.* NeL ‖ Ergo] *om.* Ome ‖ necessario] *om.* Re   6 Et . . . patet] *om.* BasHNeOOmeReUL ‖ patet] est R   7 Quidlibet] quilibet IrRZ quodlibet Re ‖ per] rei Re ‖ habet] *om.* Bas ‖ Quod . . . distinguit] *om.* Ne ‖ probatur] *depr.* O   8 generatio] generatione U ‖ corruptio] corruptione U ‖ et[a]] *om.* R *s.lin.* Ome ‖ aliae] alii Re ‖ quattuor] duo R ‖ species] secundum U *om.* BasORe ‖ quas] quos U in *add.* Ome *om.* R   9 saepe dicti] primi BasHOOmeReU ‖ Generatio . . . esse] *om.* Ne ‖ Generatio] genus U ‖ autem] quae Re ‖ est] *om.* Ome ‖ ingressus] via Re *depr.* Ir ‖ substantiam] substantia Bas   10 cum quid transit] exitus Re ‖ de . . . esse[a]] *om.* U ‖ de] a HRe ‖ ad] in BasHReL ‖ Corruptio . . . esse[b]] *om.* Bas NeO ‖ Corruptio . . . transit] *om.* U ‖ Corruptio] autem *add.* R ‖ est] e converso *add.* L *om.* Re ‖ egressus] egressio Re   11 de] ab Re ‖ ad . . . esse[b]] vel U ‖ ad] in Re ‖ Nihil . . . est] *om.* Re   12 autem] *om.* Ne ‖ contingat] contingit ZBasOOmeReU ‖ aliquem] aliquid Ome ‖ sex] *om.* Re   13 efficientem] movet *add.* R ‖ illum] *om.* R ‖ secundum . . . et cetera] *om.* BasOU ‖ animi] *om.* HNeOme   14 quae . . . primo] libri primi Re ‖ quae est] qui R *om.* HNeOme ‖ est] *s.lin.* L ‖ saepe dicto] *om.* HNeOme ‖ libro primo] primo libro est L ‖ primo] *om.* Z b ‖ Omnis . . . cetera] *om.* Ne   15 et cetera] quod causam eius conducit ad esse Re quod causam eius perducit ad esse L quod causam eius ad esse producit *add.* HOme ‖ ergo . . . illum] *om.* BasOU ‖ operatricem] operantem Sp ‖ motus illius] illius motus et cetera R

[2] Vgl. Ars I, descr.; 78,16–18.
[3] Vgl. Ars I, c.a.c. 1; 79,7.

ergo per vim facilem operari motum illum, ergo[a] per potentiam a descriptione potentiae. Et sic quidlibet per potentiam habet esse. Nihil enim esset nisi causa eius haberet potentiam illud operandi.

IV. Per sapientiam cuncta consistunt. *Sexta primi de articulis fidei ponit cuiuslibet substantiae esse triplicem causam.[4] Item descriptio est[a] primi libri: Accidens est[b] proprietas, quae per subiectum habet esse.[5] A descriptione ergo causae subiectum est causa accidentis et compago eius ad subiectum est alia causa, sicut[6] quinta et secunda primi libri dictae artis te docent. Duae sunt ergo causae accidentis, similiter substantiae. Ergo cuiuslibet rei plures sunt causae. Negotiemur ergo in uno, ut eius exempla de reliquis communicemus. Hoc consistit per plures causas. Quae si non concurrerent, hoc non esset. Ergo propter concursum earum hoc consistit. Ergo[a] vis coniungens eas hoc facit. Ergo[b] vis comprehendens eas ad hoc[a], ut hoc[b] sit, hoc[c] facit.

1 vim] unum Ome || facilem] facile Re facit L || illum] illius IrRZ || ergo[a]] om. R || a descriptione potentiae] om. Ne   2 Et . . . esse] om. Ne || quidlibet] quilibet Z || Nihil . . . operandi] om. Ne   3 causa] om. O || haberet . . . operandi] om. O || illud] illius L || operandi] operari Re   4 IV. . . . consistunt] om. O || consistunt] subsistunt Bas || Sexta] propositio add. R propositio praem. BasHNeOOmeU XX Re || primi] libri add. RReL || de . . . ponit] libri proponit HNeOOmeU proponit BasRe || fidei] om. DSp   5 ponit] proponit L || descriptio] definitio U   6 est[a]] in initio BasHOOme in initio add. NeReU || est[b]] vel Re   7 A descriptione] om. Ne || ergo] igitur IrZ || causae] om. Ne || et] et cetera Z || et . . . docent] om. Re   8 ad subiectum] om. H || est] et Ome om. Z || causa] om. IrRZ || quinta] sexta libri primi Ome propositio add. R || et . . . docent] primi libri et secunda proponit BasO primi libri et secunda ponit U   9 primi . . . docent] proponit Ome || dictae artis te] om. HNe || dictae] illi Ir || artis] articulis R causae praem. Ir || docent] docet L || Duae . . . accidentis] om. Re || Duae sunt] ergo plures sunt BasHNeOOmeU   10 similiter substantiae] om. Ne || similiter] et add. H || substantiae] sit add. L || sunt] substantiae add. Re || Negotiemur . . . communicemus] inde sit Ne || Negotiemur] negotie modo H negotientur Re   11 ergo . . . ut] inimici Re || uno] initio BasOOmeU principio H || eius] cuius BasOU || exempla] exemplo IrRZNeL || communicemus] communicamus DIrRZBasO OmeReU convincamus H coniciamus L || Hoc] hic RZ   12 consistit] consistat L || causas] om. R || concurrerent] concurrent OOme essent Re   13 Ergo] om. Ome || propter] per Z || earum] eorum IrZ causarum Re || hoc] hic Z || consistit] per vim comprehensivam add. Bas existit per vim comprehensivam Re || Ergo[a] . . . facit] om. Re   14 hoc] om. BasO || Ergo[b] . . . facit] om. RBasOReU || comprehendens] apprehendens L || eas] vero add. Ir om.L || ad . . . hoc[b]] ut ad Z || hoc[a] ut hoc[b]] om. Ir || hoc[b]] quid DSp aliquid L

[4] Vgl. Ars I,6; 81,5–6.
[5] Vgl. Ars I, descr.; 78,10–11.
[6] Vgl. Ars I,5,2; 80,25; 80,6.

Ergo vis comprehensiva causarum, per quam[a] et propter quam[b] habet esse, hoc facit. Ergo hoc consistit per vim comprehensivam causarum, per quam[a] vel propter quam[b] habet esse, ergo per scientiam a descriptione scientiae. Sed quidlibet sive[a] substantia sit sive[b] accidens in sui
5 natura bonum esse necesse est, quae est secunda propositio secundi libri.[7] Ergo hoc est bonum. Ergo a descriptione boni hoc utiliter habet esse. Ergo[a] ad bonum usum habet esse[a]. Ergo[b] habet esse per scientiam, ergo[a] ad bonum usum accommodam, ergo[b] per sapientiam a descriptione sapientiae. Sic autem de singulis argumentare: Quatenus
10 de proposito constet, sic enim probato de singulis habebis universalem videlicet quod per sapientiam cuncta consistunt. Porro hoc facile est, licet philosophis suaderet. Quis enim stupidus et[a] insulsus et[b] Epicureorum poculis madens dicet hodie cuncta casualiter evenire, cum velut quadam regulari disciplina coerceantur firmis amplexibus quattuor

1 Ergo vis comprehensiva] *om.* Re ‖ Ergo vis] *om.* Bas ‖ comprehensiva] apprehensiva L ‖ causarum] earum Ome ‖ per ... propter] propter quas et per Ne ‖ per quam[a] et] *om.* H ‖ quam[a] et propter] *om.* O ‖ quam[a]] quas IrRZBasOmeReU b ‖ et] vel DL ‖ quam[b]] quas IrRZBasOmeReU b   2 hoc facit] fecit hoc U *om.* ReL ‖ Ergo ... esse] *om.* ReL ‖ consistit] habet esse U   3 quam[a]] quas IrRZBasOOmeU b ‖ vel propter quam[b]] *om.* RO ‖ vel] et IrZBasOmeU ‖ quam[b]] quas IrZBasOmeU b ‖ a descriptione scientiae] *om.* Ne ‖ a descriptione] per descriptionem L   4 Sed] si Re ‖ quidlibet] quodlibet Ir quilibet Ome ‖ sive[a] ... accidens] *om.* Ne ‖ sive[b]] aut L ‖ sui] sua R   5 bonum] est *add.* BasO *i.m.* Re ‖ quae ... libri] per secunda secundi Ne ‖ quae] quod Ome   6 a descriptione boni] *om.* Ne ‖ hoc utiliter] multum Re ‖ utiliter] naturaliter H   7 Ergo[a]] igitur L ‖ esse[a]] et habet esse scientia *add.* L *om.* R ‖ Ergo[b]] sed BasHNeOOmeReU ‖ scientiam] substantiam U   8 ergo[a]] *om.* RL ‖ accommodam] accomodatur BasO OmeReU ‖ a descriptione sapientiae] et sic de singulis Ne   9 sapientiae] *om.* U ‖ Sic ... argumentare] *om.* Ne ‖ Sic] sit Ir sicut Ome ‖ autem] ergo RL est *add.* Z b ‖ singulis] angelis O ‖ argumentare] arguendum IrZ b argumentandum est R arguere HOmeU ‖ Quatenus ... consistunt] *om.* Ne ‖ Quatenus] quod Z   10 enim] igitur U *om.* IrRZBas b ‖ habebis] substantiis Bas habetur H habebit Re ‖ universalem] universale H ultimam Z propositionem *add.* O   11 videlicet] scilicet BasLOOmeU *om.* Re dub. H ‖ per sapientiam cuncta] omnia per sapientiam BasHOOmeReU ‖ per] vel R ‖ cuncta] concreta Z ‖ consistunt] subsistunt Bas ‖ Porro ... suaderet] *om.* Ne ‖ facile est licet] *om.* L ‖ est] tamen R *om.* BasOOmeReU   12 licet] *om.* BasHOOmeReU ‖ philosophis] philosophi L ‖ suaderet] suaderi HOOmeReU persuasere L suadere Bas IrRZ b ‖ Quis ... elementa] *om.* Ne ‖ Quis] quid L ‖ stupidus] stultus R ‖ et[a]] quis enim H ‖ insulsus] insultus IrRZBasHOReU ‖ et[b] ... madens] *lac.* Re ‖ et[b]] vel BasHO OmeU   13 hodie] hac die U ‖ cuncta casualiter] causaliter omnia Bas ‖ cuncta] omnia ORe ‖ casualiter] causaliter RO ‖ evenire] provenire BasOOmeReU   14 quadam regulari disciplina] regulari scientia quadam L ‖ amplexibus] complexionibus Bas ORe amplexionibus H complexibus OmeU

[7] Vgl. Ars II,2; 89,8–9.

elementa? Nam et astrictis legibus infallibiliter evehuntur. Et naturae
miracula rerumque multiplex status arguit intuentes, ut dicant secus
esse non posse quam quod divina sapientia per artem ineffabilem
irreprehensibiliter cuncta disponat.

V. Per bonitatem sortitur quidlibet suum esse. *Concursus enim cau- 5
sarum hoc facit, ut quid sit et ut magis sit^a hoc quam illud vel ut magis
sit tale quam alterius modi. Ergo causarum applicatio ad hoc illud facit, ergo vis applicans eas ad hoc ut sit, ergo vis applicativa ad^a hoc ut
magis sit^a tale quam tale vel magis sit hoc quam illud, ergo voluntas a
descriptione voluntatis, ergo bonitas, quia ad bonum usum inflexa 10
voluntas, quod probari potest praedictis modis. Ergo per bonitatem
sortitur quidlibet suum esse, quod erat propositum.

VI. Potentia, sapientia, bonitas universitatis causarum sunt causa.
Unde manifestum est deum esse potentiam, sapientiam, bonitatem.
*Ut autem magis familiaribus ecclesiae vocabulis utamur, potentiam 15
appellamus patrem, sapientiam filium, bonitatem spiritum sanctum,

---

1 elementa] clausula Re || Nam . . . evehuntur] *om.* Ne || Nam] *om.* Re || et] in Ome *om.*
L || astrictis] astra certis BasHOOmeU || infallibiliter] miserabiliter Z *om.* BasHOOme
ReU || evehuntur] eveniunt L || Et . . . disponat] *om.* Ne || Et] *om.* U || naturae] natura Sp
vere OmeRe iuncturae L   2 miracula] miraculosa Bas || rerumque] rerum BasO
OmeReU || multiplex] multipliciter H || arguit] arguunt L || intuentes] in mentes Z ||
dicant] dicit DSp || secus] aliter L   3 quam] *om.* Re || quod] *om.* UL || per artem]
partem OOmeU || artem] rem Bas || ineffabilem] infallibilem L   4 irreprehensibili-
ter] incomprehensibiliter IrRZ irreprehensibilem H || cuncta] concreta DSp concreata
IrR concausata Z || disponat] disposuit Z disponit Re   5 sortitur quidlibet] quilibet
sortitur Ir || enim] *om.* IrRZRe   6 sit^a] *om.* L || hoc . . . sit] quoddam BasO *om.* HNe ||
illud] aliud IrL || vel] secundum Ir aliud secundum *add.* R et ZOme b   7 modi] et
cetera ex est *add.* L || Ergo . . . iudex *(finis)*] *om.* L || Ergo] genus Re || applicatio] applico
Re || illud] *om.* BasOOmeReU   8 ergo . . . sit] *om.* Re || eas] eos H || ergo] ut Re ||
applicativa] applicata BasO applicans Ne || ad^a] *om.* R   9 sit^a] *om.* DSp || vel . . . illud]
om. Ne || magis sit] *om.* Re || sit] *om.* Ome || illud] istud U || a descriptione voluntatis]
bonitatis descriptione Bas *om.* Ne   10 voluntatis] bonitatis OU || ergo bonitas] *om.* U
|| bonitas] rationalitas Ir || quia . . . voluntas] *om.* Ne || quia] et IrRZ || usum] *om.*
H   11 Ergo . . . propositum] *om.* Ne   12 propositum] per debitum DSp et cetera
add. Ome   13 Potentia] pro Re || bonitas] *om.* H || universitatis] universitas HReU ||
causarum] *om.* H   14 Unde . . . bonitatem] zur Erklärung gehörig H || Unde] corol-
larium *praem.* IrZ b || deum] dictum H || potentiam sapientiam bonitatem] ponitur sa-
pientia bonitatis H || potentiam sapientiam] et *add.* Ne   15 Ut . . . utamur] *om.* Ne ||
Ut] aut Re || ecclesiae vocabulis] verbis ecclesiae Re || ecclesiae] *om.* Z || utamur] *om.* U
depr. O || potentiam . . . videlicet] appellemus patrem potentiam, filium sapientiam, spi-
ritum sanctum bonitatem, scilicet BasOOmeU vocemus patrem potentiam, filium sapientiam, spiritum sanctum bonitatem, scilicet Re   16 appellamus] appellemus IrZH
om. R

videlicet unius essentiae tres personas. Tria praecedentia theoremata demonstrant quidlibet esse per potentiam, sapientiam, bonitatem. Ergo a descriptione causae potentia, sapientia, bonitas sunt omnium causa. Et sic propositio patet. Corollarium autem patet ex eo: Nam
5　quia sapientia, potentia, bonitas sunt omnino causarum causa, ergo sunt causa suprema. Ergo sunt deus, quod in corollario XII primi libri deprehendes.[8]

VII. Pater et[a] filius et[b] spiritus sanctus sunt causa non causae, diversi sunt non diversa, tres[a] et non tria, unus deus non tres dii, nec tres
10　omnipotentes, nec tres creatores. *Facile est ex ante dictis convincere. Sunt enim una causa suprema, nec sunt plures causae supremae. Diversi sunt, quia differunt, sicut libri praesentis secunda proponit. Diversa autem non sunt, immo potius unum tres sunt. Nam cum differant, pater est unus, filius est[a] alius, spiritus sanctus est[b] tertius. Ergo
15　sunt tres, non autem tria, nec[a] tres dii, cum unus solus sit, nec[b] tres omnipotentes vel creatores, cum unus solus sit omnipotens vel creator.

---

1 videlicet . . . personas] per Ne ‖ videlicet] scilicet H ‖ personas] personae Re *depr.* O ‖ praecedentia theoremata] theoremata praecedentis Re　　2 demonstrant . . . bonitatem] et per Ne ‖ quidlibet] quilibet Ir ‖ esse] *om.* H ‖ per potentiam] *depr.* O ‖ bonitatem] esse *add.* R　　3 Ergo a descriptione] et per descriptionem Ne ‖ potentia . . . causa] *om.* Ne ‖ omnium] omni Ome　　4 causa] *om.* BasOU ‖ Et . . . patet] *om.* BasNeOOmeReU ‖ Et] *om.* R ‖ propositio] propositum H ‖ Corollarium . . . eo] *om.* Ne ‖ Corollarium] correlatum R ‖ autem] *om.* IrRZBasORe ‖ patet] patet *add.* R ‖ Nam] namque OmeReU *om.* Ne　　5 quia potentia] *depr.* O ‖ quia] *om.* HNeOmeReU ‖ omnino] omnium IrRZBasHNeOOmeReU ‖ ergo sunt] *depr.* O　　6 quod . . . deprehendes] *om.* Ne ‖ XII . . . deprehendes] primi libri XII propositus deprehendimus Re ‖ XII . . . libri] *depr.* O ‖ XII] XXII Bas　　7 deprehendes] et cetera *add.* Ome　　8 et[a]] *om.* BasNeOOmeU ‖ et[b]] *om.* BasNeOOmeU ‖ sunt causa] *om.* U ‖ causae] esse O　　9 sunt] *om.* RBasHNeOOmeReU ‖ tres[a]] res Re ‖ et] *om.* RZBasHNeOOmeReU b ‖ nec] non BasHNeOOmeReU　　10 nec[b]] non BasHNeOOmeReU ‖ Facile . . . convincere] *om.* Ne ‖ est] et R hoc *add.* BasHOOmeReU ‖ ante] iam R ‖ dictis] diverso Ome ‖ convincere] conicere DSp convertere Re　　11 una] scilicet *add.* U *om.* Re ‖ Diversi] diversae Re　　12 sicut . . . proponit] per secundam huius Ne ‖ libri praesentis secunda] tertia libri praesentis Bas secunda huius huius libri praesentis Re ‖ secunda] enim OmeU pars *add.* R ‖ proponit] ponit DSp　　13 autem] *om.* RBasNeOOmeReU ‖ potius] *om.* Ne ‖ tres sunt] et cetera Ne ‖ Nam . . . tertius] *om.* Ne ‖ differant] differunt RZBasOU *om.* Re　　14 est[a]] *om.* R ‖ est[b]] *om.* DSp ‖ Ergo . . . creator] *om.* Ne　　15 nec[a]] neque Re ‖ dii] a et w D Alpha et Omega Sp ‖ sit] deus *add.* Re ‖ nec[b]] non Ome neque Re　　16 cum] sed Re ‖ solus . . . creator] *om.* Re

---

[8] Vgl. Ars I,12; 82,3–5.

Admittunt tamen catholici quod sunt tres omnipotentes in hoc sensu: tres eiusdem potentiae, sicut tres[a] consubstantiales, id est eiusdem substantiae. In similibus autem ratiocinari dictorum ratio te docebit.

VIII. Proprietates personales distinguunt, non informant personas vere. *Secundum dictam descriptionem distinguere est diversitatem 5 aliquam facere. Diversitates autem in personis faciunt earum proprietates, quia faciunt eas differre, sicut primum et secundum theorema demonstraverunt. Ergo a descriptione proprietates personarum distinguunt eas. Dicet autem aliquis quod informant, ergo formae sunt in illis vel forma, ergo secundum quartam primi de arte fidei[9] forma et 10 materia componunt eas, quod est contra decimam dicti libri.[10] Sunt enim suprema causa, in quam nullum accidens cadit, sicut habes in XIII dicti libri.[11] Ex hoc autem luce clarius apparet non esse plures causas supremas. Si enim essent[a], diversae essent[b] earum substantiae et distantes. Substantiae autem inter se differre non possunt, nisi per 15

1 Admittunt . . . substantiae] *om.* Ne ‖ tamen] cum ROme ‖ in . . . sensu] hoc sunt U ‖ in] et Z   2 eiusdem . . . sicut] omnipotentes eius potentiae sunt Re ‖ eiusdem potentiae] quidem posito Z ‖ potentiae] personae Ome ‖ tres[a]] *om.* BasOU ‖ id est] *om.* Re   3 In . . . docebit] *om.* NeU ‖ autem] *om.* Re ‖ dictorum ratio] derivatio dub. Ome ‖ dictorum] divina BasORe divinorum H   4 personas vere] *om.* Ne   5 vere] zur Erklärung gehörig BasHOOmeReU ‖ Secundum . . . facere] *om.* Ne   6 Diversitates . . . demonstraverunt] *om.* Ne ‖ Diversitates] diversitatem ZRe ‖ autem] et O ‖ earum proprietates] proprietates in personis eorum Bas proporietates in personis earum OU proprietates in personis causarum Ome proprietates in personis Re   7 et secundum] *om.* Re   8 demonstraverunt] demonstrant SpIrZBasHOOmeU b declarat Re ‖ Ergo ...eas] *om.* Ne ‖ descriptione] proprietatum *add.* R ‖ proprietates] proprietatis Z ‖ distinguunt eas] distinguit Z   9 eas] *om.* Re ‖ autem] aliter BasO *om.* Ne ‖ informant] informat Z   10 vel forma] secundum formam Re ‖ secundum] per Ne ‖ primi] propositionem R ‖ de . . . fidei] libri BasOOmeReU *om.* HNe ‖ de arte] articulis R ‖ et] vel DSp   11 componunt] proponunt Ne componit O ‖ eas] eos H ‖ decimam dicti libri] dicti libri decimam primam H ‖ decimam] decimum capitulum R decimum Re ‖ dicti libri] primi libri dicti IrRZ b huius Ne ‖ dicti] primi BasO ‖ Sunt . . . libri] *om.* Ne ‖ Sunt] est IrRZ b   12 quam] qua Re ‖ cadit . . . habes] *om.* Re ‖ sicut . . . libri] *om.* Bas ‖ sicut] sed OU ‖ habes . . . libri] in XIII capitulo dicti libri habetur R ‖ habes] habemus H clines U *lac.* O   13 XIII] XIV H ‖ dicti] primi Z b ‖ Ex . . . supremas] *om.* Ne ‖ hoc] hac IrRZBasORe ‖ apparet] et *add.* H   14 Si . . . distantes] *om.* Ne ‖ essent[a]] esset DSp ‖ diversae] aversae DSp ‖ essent[b]] *om.* Re ‖ earum] causarum U   15 et] differentes vel *add.* R ‖ Substantiae . . . diversas] *om.* Ne ‖ autem] *om.* Re

[9] Vgl. Ars I,4; 80,16–17.
[10] Vgl. Ars I,10; 81,22–23.
[11] Vgl. Ars I,13; 82,17.

formas diversas. Ergo formas ex necessitate haberent. Ergo appositae essent, et sic supra se illius compositionis causam componentem haberent. Et sic non essent supremae.

IX. Filius a patre et spiritus sanctus ab utroque procedit. *Sapientia est
5 vis comprehensiva causarum, et cetera, quod in descriptione scientiae continetur. Ergo est vis potens comprehendere, ergo est[a] vis, in qua est potentia comprehendendi, ergo in qua[a] est[a] potentia, ergo in qua[b] est[b] pater, ergo in qua ex ipsa forma descriptionis intellegitur pater. Ergo a patre filius procedit, sicut descriptio procedendi demonstrat. Eodem
10 modo: Bonitas est[a] voluntas, quae scilicet est vis applicativa ad eligendum, et cetera. Ergo est vis potens applicare, ergo in quo est potentia applicandi, ergo potentia, et cetera. Praedicto modo spiritum sanctum procedere a[a] patre de facili convinces. Nam et a filio eundem procedere sic probabis: Spiritus sanctus est vis applicativa ad eligendum,
15 quod magis exsistat, ergo potens eligere unum magis quam aliud. Sed ex scientia immo sapientia procedit. Et hoc a sapientia habet, quod quis eligit eligenda. Ergo in vi electionis bene utentis intellegitur sa-

---

1 Ergo . . . haberent] *om.* Ne ‖ ex] de RU ‖ Ergo . . . essent] *om.* Ne ‖ appositae essent] essent compositae Re ‖ appositae] compositae IrRZBasHOOmeU   2 et . . . haberent] *om.* Ne ‖ supra] sumitur Re ‖ se] *om.* Ome ‖ componentem] *om.* BasHOOmeReU ‖ haberent] habent Ome   3 Et . . . supremae] *om.* Ne ‖ Et] *om.* H ‖ essent] esset R   4 et] *om.* Re ‖ spiritus sanctus] spiritu sancto H ‖ procedit] procedunt Re   5 vis comprehensiva] in sapientia Re ‖ comprehensiva] apprehensiva BasO OmeU ‖ et cetera . . . continetur] *om.* Ne ‖ scientiae] sapientiae BasHOReU   6 est] eius *add.* Bas ‖ est[a] vis] *om.* Re ‖ est[a]] eius *add.* Bas ‖ qua] quo Re   7 comprehendendi] RRe ‖ ergo . . . potentia] *om.* RReU ‖ est[a]] et *add.* H ‖ ergo . . . pater] *om.* U ‖ est[b]] et *add.* H   8 in qua] *om.* Re ‖ qua] est *add.* Z ‖ ex] est et H ‖ ex . . . descriptionis] *om.* Ne ‖ forma] causa Re *i.m.* U ‖ descriptionis] rerum *add.* IrRZ b ‖ intellegitur] intellegit IrZ   9 sicut . . . demonstrat] *om.* Ne ‖ procedendi] *om.* BasOme ‖ demonstrat] quod conceditur *add.* Bas ‖ Eodem] vel H   10 Bonitas] de bonitate Ne ‖ est[a] . . . et cetera] *om.* Ne ‖ est[a]] et HRe ‖ scilicet] *om.* U ‖ applicativa] applicata Re   11 et cetera] *om.* Bas ‖ Ergo . . . applicare] *om.* IrRZBasNe b ‖ est] *om.* Re ‖ ergo . . . cetera] *om.* IrRZBasNe b ‖ est] *om.* OmeRe   12 et cetera] *om.* Re ‖ Praedicto . . . convinces] *om.* BasNe ‖ Praedicto] prodicto R eodem Re ‖ sanctum] *om.* Re   13 a[a]] de R ‖ de . . . convinces] *om.* O ‖ facili] facile R ‖ Nam . . . aliud] *om.* Ne ‖ Nam . . . eligendum] *om.* Bas ‖ Nam . . . eundem] *om.* O ‖ Nam] quod IrZ b ‖ eundem] enim Re sic *add.* R ‖ procedere] *om.* OOme   14 sic probabis] comprobabis OOme approbabit Re comprobabitur U   15 exsistat] exsistit Re dicitur *add.* Re ‖ Sed . . . procedit] *om.* Ne   16 immo] una Z ex *add.* BasOOmeU ‖ procedit] procedet RZ ‖ Et . . . eligenda] *om.* Ne ‖ Et hoc] hoc et quia BasOOme hoc quia Re hoc est quia U ‖ Et] *om.* H ‖ hoc] quoque *add.* H ‖ habet] item U   17 Ergo . . . sancto] *om.* Ne ‖ vi electionis] *lac.* Bas ‖ utentis] mentis BasO nitentis Ome ‖ sapientia] procedet et hoc a sapientia *add.* R

pientia, ergo filius in spiritu sancto. Et sic concluditur quod a filio procedit spiritus sanctus.

X. Licet pares personae sint in omnibus et aequales, a patre tamen habet esse filius et spiritus sanctus et operandi auctoritatem et[a] potestatem. *Ex praemissa deprehendis huius theorematis veritatem. A patre enim procedunt. Esse igitur habent ab eo, nec non auctoritatem et potestatem habent a patre. Si enim non esset in sapiente potentia sapiendi et in benevolente potentia benevolendi, nec sapientia nec bonitas posset intellectu deprehendi nedum realiter esse. Quod autem sint pares in omnibus et aequales XXVII saepe dicti libri declarat.[12]

XI. Filius habet a patre quod spiritus sanctus habet esse et procedere a filio et quod ab eodem habet, quidquid habet a patre. *Cum enim quidquid habet filius, habet[a] a patre, sequitur quod expressum est supra. Et cum spiritus sanctus procedat a filio, sequitur quod, quidquid habet[a], habet a filio. Ergo quidquid habet[b] a patre, habet[c] a filio.

XII. Per trinitatis effectus in creaturis ipsam velut per speculum contemplamur, eandem ratiocinandi causa dictis nominibus, quae sunt

---

1 in] a Z || Et . . . sanctus] *om.* Ne || Et sic] *i.m.* Sp || quod] ergo BasHORe ergo a simili procedit dicitur ergo Ome   2 sanctus] et cetera *add.* Ome   3 Licet] tres *add.* U || pares] *om.* Re || in omnibus et] et in omnibus Ne || et] *om.* Re   4 et[a]] atque Re   5 Ex] per Ne || praemissa] praemissis Bas praemissam Ne || deprehendis . . . veritatem] *om.* Ne || deprehendis] deprehendes BasU deprehendens O deprehenditur Re || veritatem] veritas Re   6 enim] *om.* Ne || procedunt] procedant U || Esse igitur] ergo esse Re || Esse] omne Z causae Bas || igitur] quidem DSp ergo BasO || habent] hoc *add.* BasOU || ab eo] a patre Re || nec non] igitur et Ne || non] et *add.* BasHO-OmeRe   7 habent a patre] *om.* Ne || habent] habeant D *om.* U || Si . . . esse] *om.* Ne || enim] hic *add.* H   8 et] vel IrRHOmeReU || in] ibi R || potentia benevolendi] *om.* U || benevolendi] volendi BasO   9 nedum] nec non IrRZ nondum H *om.* Bas OOmeReU || esse] *om.* Re || Quod . . . declarat] *om.* Ne || Quod autem sint] quia sicut Re || autem] *om.* BasHOOmeU   10 sint] sunt BasH || pares] res Z partes (vel pares *i.m. add.*) O partes Re || in omnibus et] et in omnibus Re || XXVII] XXVIII Re capitulo *add.* R || saepe dicti] primi HOOmeReU *om.* Bas || declarat] determinat RZ b demonstrat Re declarabat U   12 eodem] eo Re || a patre] *om.* Re || patre] habet *add.* O   13 habet[a]] *om.* Ome || patre] et *add.* BasOU || sequitur] ex eo *add.* O   14 Et . . . sanctus] scilicet Ome || Et cum] et cetera BasORe || sanctus] *om.* DSpIr || procedat] procedit RBasHNe OOmeReU || quod] omni Re   15 habet[a] . . . filio] a filio habet BasH || habet[b]] a filio habet ergo quidquid habet *add.* Bas || habet[c]] et *add.* Re   16 XII] Text samt Erklärung gehört zur Erklärung von XI Ne || effectus] effectum Re || in] *om.* R || creaturis] causativum Re || speculum] speculamur et *add.* Re   17 eandem] eadem BasO || causa] causam HNeOmeReU

---

[12] Vgl. Ars I,27; 87,4–5.

potentia, sapientia, bonitas appellantes. *Verum in alio sensu singulis personis conveniunt divinam essentiam praedicantes. Considerantes autem quod ad hoc, quod^a quid creetur, oportet quod creator hoc possit et sciat et velit, potentiae et^a sapientiae et^b voluntatis sive bonitatis
5 intellectualiter depingimus quandam in divina essentia trinitatem, quae, quia in eo accidentia esse non possunt, appellari debent communi nomine transsumpto a substantia potius quam ab accidente. Substantiae vel essentiae non possunt dici, quia non sunt nisi una substantia vel essentia. Unde competentius sunt dictae personae. Non est au-
10 tem una persona alia. Non enim pater est filius sicut grammaticus est musicus. Sumptum enim ab una proprietate praedicatur de sumpto alterius propter identitatem subiecti. Sed personae non sunt accidentales. Unde una non potest praedicari de alia, sicut licet eiusdem substantiae sint manus et pes, tamen manus non potest vere dici pes^a.
15 Similiter de fonte Tiberino dicitur ‚hic est Tiberis^a‘, de rivulo ‚hic est rivulus Tiberis^b‘ de fluvio maioris alvei ‚hic est Tiberis‘. Non tamen iste fons est iste^a rivulus. Praeterea XVII propositione primi libri dictum est[13] quod deum non comprehendimus nisi fide nec ipsum intellegere possumus, cum intellectus omnis sit a forma.

1 appellantes] appellamus Re || Verum . . . sensu] cum in aliis Z || Verum] unde H || alio] quo Ne || sensu] ita BasO || singulis] om. H   2 conveniunt] om. IrRZ b   3 autem] etiam IrRZ b equidem HNeOme aeque Re || quod^a] ut BasHNeOOmeU || quid] aliquid Re || creetur] causetur NeZ curetur Re || quod] ut Ne || creator] curator Re || possit] posset H   4 et . . . velit] velit et sciat Re || potentiae . . . bonitatis] om. Ne || et^a] om. RU || et^b] vel BasOU || sive] vel BasOU   5 quandam] quantam Bas || essentia] natura esse Re   6 quae] om. U || eo] ea BasOU om. Ome || accidentia] artina (vel accidentia *i. m.*) O || communi] a IrRZ b quoniam U om. Re qui DSp   7 transsumpto] transposito Z || accidente] accidentibus Bas   8 non] om. Re || dici] om. Re || sunt] est BasOU om. Ne   9 Unde] verumtamen R || competentius] competenter R || dictae] dicti Ir || est autem] enim est R || autem] om. Ne   10 persona] pars add. O || pater] prior *dub.* Ome || sicut] sint R || grammaticus est musicus] grammatica est musica DSp grammaticum est musicum BasHNeOOmeU || est] et R   11 Sumptum enim] sumpta Re   12 alterius] om. DSpIrRZ proprietatis add. ReU   13 Unde] ergo Re || sicut] om. Re || licet . . . pes^a] om. Ne || eiusdem substantiae sint] unius sint substantiae R || eiusdem] om. IrZ   14 sint] sunt HOOme || tamen . . . pes^a] om. Ne || non] om. R || vere] om. Z || pes^a] cum manus non vere potest dici pes add. O om. Ome   15 Similiter . . . Tiberis^a] om. Ne || Similiter] sicut BasOReU || dicitur] dicit DSp || hic] hoc Ome || de . . . Tiberis^b] om. BasHOU *i.m.* Sp   16 rivulus] rivus OmeRe om. Ne || fluvio . . . alvei] fonte Ne || hic . . . Tiberis] om. BasO || Non] nec Ne   17 iste^a] ille H || Praeterea . . . iudex (*finis*)] om. Ne || Praeterea] prima R propterea in Bas prima et Re in add. OU || XVII] XXVII DSp XVI Re || propositione] om. ZRe   18 nisi] nihil (vel nisi *i.m.*) O || fide] in aenigmate Re || ipsum] spiritum H   19 omnis] vis Re || forma] et cetera add. Ome

[13] Vgl. Ars I,17; 83,19.

XIII. A patre creatore mittendus est filius ad recreandum, ab utroque
spiritus sanctus ad conferendum robur et augmentum charismatum;
nihilominus quodlibet illorum operatae sunt indifferenter et aequaliter
tres personae. *In hac propositione distincta notanda sunt plura, scilicet quod patri convenit creatio, secundo quod mittendi fuerunt ad 5
nostrum remedium filius et spiritus sanctus, tertio quod filio convenit
recreatio, quarto quod spiritui sancto convenit bonorum largitio et in
eis augmentatio, quinto quod indifferenter operatur tota trinitas. In
supra dictis operibus primum sic probatur: Potentia est vis facilis motum aliquem operari. Sed generatio est^a motus. Ergo potentia est vis, 10
et cetera. Sed operari generationem naturalium est creare. Ergo potentia est vis facilis creare. Ergo ex vi potentiae habet esse creatio.
Ergo potentiae convenit creatio, ergo patri. Secundum sic probatur:
Viso prius qualiter dicantur mitti, sicut dominus papa dicitur mittere
alicui aliquam praebendam, quia mittit litteras significantes quod illam 15
habeat. Ita spirituale mitti dicitur, quando^a infunditur, quando^b ab homine beneficium eius spiritualiter sentitur. Licet autem filius et spiritus
sanctus se mittant, hoc est se infundant, tamen a patre mitti dicuntur,
quia quidquid agunt, a patre auctore habent, quod superius probatum
est, sicut ad mandatorem refertur mandatarii factum. Quod autem 20
missi sunt ad nostra remedia patet de filio per primam et secundam

1 A] *om.* Ome || est] erat IrRZBasHOOmeU b || filius] erat *add.* Re || recreandum] re
s.lin. creandum Bas   2 spiritus] *om.* D || sanctus] *om.* Sp   3 quodlibet] quolibet Z
quaelibet RBasHOOmeReU || illorum] illarum BasHOReU earum Ome || operatae]
comparatae Ome || sunt] *om.* Bas   4 distincta] distincte BasHOOmeReU || scilicet]
sed Ome   5 convenit] communicat Ome || creatio] et hoc primo *add.* R || secundo]
secunda Re   7 recreatio] increatio H creatio ReU || bonorum] honor et
DSpIrRZ   8 eis] esse DSp || augmentatio] argumentatio Ome || In] de IrRZ
b   9 est] eius Ome || facilis] faciens *add.* Z   10 aliquem] aliquod H || Sed] si Z ||
est^a] vel (est *i.m. corr.*) Z || potentia] eius *add.* O   11 creare] causare Z ||
Ergo . . . creare] *om.* BasOU   12 creare] causare Z || potentiae] potentis
DSp   13 convenit] contingit ReU || ergo patri] *om.* BasO || patri] pater Ir pater creat
Z || Secundum] quod *add.* R || probatur] proba Ir   14 Viso] visio O || qualiter dican-
tur mitti] quid sit mitti et qualiter dicatur BasOReU quid sit mitti equaliter dicatur Ome
|| dicantur] dicuntur H || sicut] sanctus Ome || dicitur] dicit D   15 aliquam] *om.*
BasO   16 Ita] in Re || quando^a] quoniam BasO || homine] habente R b   17 au-
tem] pater et *add.* Re   18 hoc est] licet R || se] *om.* Bas || infundant] infundunt DSp ||
tamen] cum Ome et non Re   19 quia] et H quod Ome || agunt] agant Bas || auc-
tore] auctoritatem Re sunt et *add.* U *om.* IrRZ b || quod] quia Re   20 refertur] refe-
ratur Ome || mandatarii] mandatoris BasOOmeU mandatorii DHR   21 missi sunt]
missus est IrRZ nulla sint Re

tertii libri supra dicti,[14] de spiritu sancto similiter per XXV propositionem secundi libri,[15] qua nos indigere multiplici medicina demonstratur. Medicinae autem istae ex bonitate procedunt, ergo ex spiritu sancto. Ergo ad hoc infundendus est nobis, ergo mittendus. Tertium
5 taliter prosequaris: Recreare est reformare ut de perverso et damnabili statu aliquem in melius reformare. Quod fit, cum reprobus corrigitur, respersus lepra peccati curatur, cum venumdatus sub peccato redimitur, cum redemptio gloria comparatur. In his autem est praecipua sapientia patris. Non enim ad ardua machinandum sufficit posse et velle,
10 sed requiritur plurimum scire. Ergo ad sapientiam pertinent ista, quae sunt partes recreationis. Ergo sapientiae convenit recreatio, ergo filio. Quarti probandi talis est via: Secundi libri XXI theorema sic dicit: Humana fragilitas a bono statu facilem ruinam incurrit.[16] Ergo eget fortius sustentari. Ergo eget alieno auxilio et robore et bonorum aug-
15 mento contra talem ruinam. Sed omne bonum a deo, sicut prima secundi proponit. Ergo indiget, ut a deo habeat bonum[a] illud.[17] Sed deus est summum bonum[b], nec in eo est malum, ergo[a] nec ullus defectus,

---

1 tertii . . . dicti] *om.* Bas || libri supra dicti] *om.* Re || libri] *om.* IrR || supra dicti] *om.* HOOmeU || similiter per] super BasOU || similiter] supra Z || XXV] XXVI Re || propositionem] *om.* BasHOOmeReU   2 libri] *om.* U || qua] quia ZU || medicina] remedio Re *om.* R || demonstratur] monstratur Bas   3 bonitate] bonitatibus BasO || procedunt] procedent R   4 infundendus] inferendus U || nobis ergo] *om.* Re || ergo] *om.* R   5 prosequaris] prosequeris IrBasHZ persequeris R persequaris Ome || Recreare] autem *add.* BasO scilicet *add.* Ome || est] scilicet H || reformare] formare BasOU || ut] scilicet BasHOOmeRe *om.* U   6 statu] statim BasOOmeRe || aliquem] aliquid BasO || fit] sit Ome sic Re *om.* Bas *lac.* O || reprobus] reprobatur BasO   7 respersus] leprosus Z || peccati] *om.* Re || curatur] creatur IrH   8 redemptio] redempto RZBasHO OmeRe b *depr.* Ir || autem] enim IrR *om.* Z || est praecipua] praecipue est Bas   9 Non] cum BasOOmeReU || machinandum] non *add.* Re || et] vel IrRZBasHO OmeU autem Re   11 partes] patris DSpIrZ proprie R || convenit] contingit Re || ergo] et *add.* Re   12 Quarti] quarta IrR quartum Z || Quarti probandi] ad quartum probandum BasHOOmeReU || XXI] XX BasHOOmeReU || theorema] theoremate Re || sic dicit] *om.* Re   13 incurrit] *om.* DSp || Ergo . . . sustentari] *om.* O || fortius] forma Re   14 alieno] augeri *add.* BasHOOmeReU || auxilio] consilio *add.* Z   15 deo] bono IrRZ est *add.* Re || sicut prima] per primam Re || secundi] libri *add.* BasOOmeReU   16 proponit] proponitur Re || indiget] eget Re || deo] bono IrR   17 est] in *add.* Ome || bonum[b]] et *add.* R || nec] nihil IrRZO b || est] *om.* Re || ergo[a]] *om.* DSp || nec ullus] nullus IrRZBasHOOmeU || ullus] *om.* Re

---

[14] Vgl. Ars III,1,2; 96,5; 96,11–12.
[15] Vgl. Ars II,25; 94,25.
[16] Vgl. Ars II,21; 94,13.
[17] Vgl. Ars II,1; 88,24.

ergo^a nulla miseria, ergo nulla obligatio debiti. Quod aliter potest probari: Deus est summum bonum. Ergo in eo omnis est beatitudo, ergo omnis libertas, ergo nulla debiti obligatio. Ergo non tenetur ex debito conferre bona sua, sed dat sine dolo. Ergo ex bonitate tantum dat. Ergo bonitati convenit illud bonum, ergo spiritui sancto, quod propositum erat. Ad oculum autem demonstrata sunt ista, quando filius missus est in carnem et spiritus sanctus in igneis linguis. Quod ab utroque mittitur, satis elucidat supra dicta propositio. Quintae partis probatio ex XXV propositione primi libri fundatur,[18] quod non repeto, ne audiam illud „ne acta agas".

XIV. Pater omne iudicium dedit filio, ipse nihilominus et spiritus sanctus cum filio iudicabunt. *Pater dedisse dicitur filio, quia a patre habet, quidquid habet: discernere, examinare, merita trutinare, demum sententiam elicere. Hoc potissimum ad sapientiam spectat, ergo ad filium. Ergo ipse praecipue dicendus est iudex. Sed quod coniudicent pater et spiritus sanctus ex dictis patet. Quod autem legis, pater non iudicat quemquam, ita posset dici de spiritu sancto. Hoc est quia pater et spi-

---

1 ergo^a nulla miseria] *om.* R || miseria] mala H || ergo . . . debiti] *om.* BasOOmeReU || debiti] ergo nec tenetur ex debito conferre bona sua, sed dat sine dolo. Ergo ex bonitate tantum dat, quoniam est summum bonum. Ergo nullus defectus, ergo nulla miseria, ergo nulla obligatio debiti. *add.* R || Quod . . . probari] *om.* BasOOmeReU || aliter potest probari] probare aliter potes H   2 Deus . . . bonum] *om.* BasOOmeReU || Deus] *om.* H || Ergo . . . libertas] *om.* BasOOmeReU || est] *om.* H   3 debito] deo Sp   4 bona] dona R || sine dolo] *lac.* Re || bonitati] cui *add.* Re   5 illud] illum Ome *om.* ReU   6 autem] *om.* BasHOOmeReU || sunt] *dub.* Ome || ista] *om.* BasHO OmeReU || quando] quoniam RBasOOmeReU ergo H   7 spiritus sanctus] spiritum sanctum Re || in] *om.* Z b || igneis] ignem Re || linguis] signis OU *lac.* Re   8 elucidat] elucidant BasHOOmeReU || supra dicta propositio] praedicta H || propositio] *om.* BasO OmeReU || Quintae] autem *add.* BasHOOmeU   9 audiam] audiatur IrZRe b || audiam illud] illud audiatur R   10 illud] istud BasU animi *add.* Re || ne acta] actum ne BasHOOmeU || acta] *om.* Re || agas] rasum ne radas, expositum ne exponas *add.* HO OmeReU casum ne cadas, expositum ne exponas *add.* Bas   11 dedit] dat Z || filio] suo *add.* U et *om.* Z   12 dedisse dicitur] dicit dedisse U || quia] qui U || habet] *om.* DSp   13 trutinare demum sententiam] *om.* BasO || trutinare] terminare et IrR terminare Z trutina et H crimina Re || demum] deinde Re et inde U inde *add.* Sp || sententiam] suam gloriam H scientiam Re vides nam U   14 spectat] pertinet vel spectat Z   15 ipse] *om.* BasHOOmeReU || coniudicent] etiam iudicent R coniudicant BasU iudicant H convindicant O communicent Re || pater] et filius *add.* Re   16 ex] iam *add.* BasHOOmeReU || dictis] luce clarius *add.* HOmeU dicti luce clarius Re || patet] vice clarius *add.* O licet clarius *add.* Bas || autem] iam BasOU || iudicat] iudicabit H   17 quemquam] quamquam Ir || dici] *om.* R || quia] quod BasORU *om.* Re

---

[18] Vgl. Ars I,25; 86,12–14.

ritus sanctus non apparebunt visibiliter in iudicio sicut filius, qui apparebit iudicandis hominibus homo iudex.

1 non] vero O ‖ qui] quia DSp *om.* O ‖ apparebit] apparet HRe   2 iudex] explicit
liber de articulis fidei. Boetius composuit hunc librum de articulis fidei *add.* R explicit
liber magistri A Arabianensis de arte fidei catholicae *add.* Z explicit liber de articulis fidei
add. BasU explicit *add.* HOme explicit liber de filio dei *add.* O explicit liber Alani amen
add. L

VERZEICHNIS DER ZITIERTEN LITERATUR

a) Quellen

Alanus de Insulis: Regulae caelestis iuris, ed. N. M. Häring, in: Archives d'histoire doctrinale et littéraire du moyen âge 56 (1981) 97–226.
- La somme „Quoniam homines", ed. P. Glorieux, in: Archives d'histoire doctrinale et littéraire du moyen âge 28 (1953) 113–364.
Aristoteles, Opera, ed. Academia Regia Borussia, Berlin 1831–1870.
Augustinus, A.: Opera (= Corpus Christianorum. Series latina) Turnholt 1955ff.
Boethius, A. M. S.: The Theological Tractates, with an English Translation by H. F. Stewart, E. K. Rand, S. J. Tester (= The Loeb Classical Library 74) Cambridge, Mass. 1978.
„Boethius" Geometrie II. Ein mathematisches Lehrbuch des Mittelalters, ed. M. Folkerts (= Boethius. Texte und Abhandlungen zur Geschichte der exakten Wissenschaften 9) Wiesbaden 1970.
Clarembaldus von Arras: Life and Works of Clarembald of Arras. A Twelfth-Century Master of the School of Chartres, ed. N. M. Häring (= Pontifical Institute of Mediaeval Studies. Studies and Texts 10) Toronto 1965.
Clemens von Alexandrien: Stromata I–VI, ed. O. Stählin, 3. Aufl. neu hrsg. v. L. Früchtel (= Die griechischen Schriftsteller der ersten Jahrhunderte 52/15) Berlin 1960.
Descartes, R.: Œuvres, ed. Ch. Adam, P. Tannery, Paris 1897–1910.
Dominicus Gundissalinus: De divisione philosophiae, ed. L. Baur (= Beiträge zur Geschichte der Philosophie des Mittelalters 4,2–3) Münster 1903.
Euklid, Elementa, ed. I. L. Heiberg, Leipzig 1883.
Eusebius von Caesarea, Historia ecclesiastica V–VIII (= Sources Chrétiennes 41) Paris 1955.
Gilbert von Poitiers: The Commentaries on Boethius by Gilbert of Poitiers, ed. N. M. Häring (= Pontifical Institute of Mediaeval Studies. Studies and Texts 13) Toronto 1966.
Grammatici latini I, ed. H. Keil, Leipzig 1857 .
Hugo von St. Viktor: Didascalicon. De studio legendi, ed. Ch. H. Buttimer, Washington D. C. 1939.
Isidor von Sevilla: Etymologiarum sive originum libri XX, ed. W. M. Lindsay, Oxford 1962.
Johannes von Salisbury: Opera omnia, ed. J. A. Giles, Oxford 1848, Ndr. Leipzig 1969.
Kant, I.: Gesammelte Schriften, hrsg. v. der Preußischen Akademie der Wissenschaften, Berlin 1910–1970.
Le tractatus Quidam de philosophia et partibus eius, ed. G. Dahan, in: Archives d'histoire doctrinale et littéraire du moyen âge 49 (1982) 155–193.
Liber de causis: La demeure de l'être. Autour d'un anonyme. Etude et traduction du Liber de causis, ed. P. Magnard et al. (= Philologie et Mercure) Paris 1990.
Liber XXIV philosophorum: Das pseudo-hermetische Buch der vierundzwanzig Meister, ed. C. Baeumker, in: ders., Studien und Charakteristiken zur Geschichte der Philosophie des Mittelalters. Gesammelte Aufsätze und Vorträge (= Beiträge zur Geschichte der Philosophie des Mittelalters 25, 1–2) Münster 1927, 194–214.
- Le livre des XXIV philosophes, traduit du latin, édité et annoté par F. Hudry, Grenoble 1989.

Nikolaus von Amiens, De arte seu articulis catholicae fidei. Libri quinque, ed. B. Pez, in: Thesaurus Anecdotorum novissimus 1, Augsburg 1721, Sp. 476–504; Patrologia, ed. J.-P. Migne. Series Latina 210, Turnholt 1855, Sp. 595–618.

Origenes: The Philocalia. The Text Revised with a Critical Introduction and Indices by J. A. Robinson, Cambridge 1893.

– Epistola ad Gregorium Thaumaturgum, in: Des Gregorius Thaumaturgos Dankrede an Origenes. Als Anhang: Der Brief an Gregorius Thaumaturgos, ed. P. Koetschau (= Sammlung ausgewählter kirchen- und dogmengeschichtlicher Quellenschriften 9) Freiburg/Br. 1894, 40–44.

Platon: Opera, ed. J. Burnet, Oxford 1899–1906.

Plutarch: Kimon, in: Vitae parallelae 2, ed. K. Ziegler, Leipzig 1957, 332–359.

Stoicorum veterum fragmenta, ed. J. von Armin, Leipzig 1921–1924 .

The Translations of the Elements of Euclid from the Arabic into Latin by Hermann of Carinthia(?), ed. H. L. L. Busard, Leiden 1988.

Thierry von Chartres: Commentaries on Boethius by Thierry of Chartres and his School, ed. N. M. Häring (= Pontifical Institute of Mediaeval Studies. Studies and Texts 20) Toronto 1971.

Thomas von Aquin: Summa theologiae, cura et studio Fratrum Ordinis Praedicatorum, Rom 1888– 1906.

– In Boethii De hebdomadibus, ed. Marietti, Turin 1954.

b) Sekundärliteratur

Alverny, M.-Th. d': (1) Appendix I. Liber XXIV philosophorum, in: P. O. Kristeller (Hrsg.), Catalogus translationum et commentariorum: Mediaeval and Renaissance Latin Translations and Commentaries 1, Washington D.C. 1960, 151–154.

– (2) Alain de Lille et la 'theologia' in: L'homme devant dieu. Mélanges offerts au père Henri de Lubac (= Théologie. Etudes publiées sous la direction de la faculté de théologie S. J. de Lyon-Fourvière 57) Paris 1964, 110–128.

– (3) Alain de Lille. Textes inédits avec une introduction sur sa vie et ses oeuvres (= Etudes de philosophie médiévale 52), Paris 1965.

– (4) Avicenna Latinus VIII, in: Archives d'histoire doctrinale et littéraire du moyen âge 43 (1968) 301–335.

– (5) Mâitre Alain – „Nova et Vetera", in: M. de Gandillac, E. Jeauneau (Hrsg.), La renaissance du 12ᵉ siècle (= Decades du centre culturel international de Cerisy-la-Salle 9) Paris 1968, 117–145

Baeumker, C.: Handschriftliches zu den Werken des Alanus, in: Philosophisches Jahrbuch 6 (1893) 163–175, 416–429.

Balić, C.: (1) Bemerkungen zur Verwendung mathematischer Beweise und zu den Theoremata bei scholastischen Schriftstellern, in: Wissenschaft und Weisheit 3 (1936) 191–217.

– (2) De auctore operis quod „Ars fidei catholicae" conscribitur, in: Mélanges Joseph de Ghellinck 2 (= Museum Lessianum – Section historique 14) Gembloux 1951, 793–814.

Ballauff, Th.: Pädagogik. Eine Geschichte der Bildung und Erziehung 1 (= Orbis Academicus) Freiburg/Br. 1969.

Bidez, J., Drachmann, A. A.: Emploi des signes critiques. Disposition de l'apparat dans les éditions savantes de texts grecs et latins. Conseils et recommendations. Edition nouvelle par A. Delatte et A. Severyns, Paris 1938.

Chenu, M.-D.: (1) Une théologie axiomatique au XIIe siècle. Alain de Lille, in: Cîteaux 9 (1958) 137–142.

– (2) Un essai de méthode théologique au XIIe siècle, in: Mediaeval Studies 35 (1973) 258–267.

Clagett, M.: The Medieval Latin Translations from the Arabic of the Elements of Euclid with Special Emphasis on the Version of Adelard of Bath, in: Isis 44 (1953) 16–42.

Clerval, A.: Les écoles de Chartres au moyen âge, Paris 1895, Ndr. Frankfurt a. M. 1965.

Contenson, P. M. de: L'édition critique des oeuvres de S. Thomas d'Aquin. Principes, méthodes, problèmes et perspectives, in: L. Hödl (Hrsg.), Probleme der Edition mittel- und neulateinischer Texte, Boppard 1978, 55–73.

Dod, B. G.: Aristoteles latinus, in: N. Kretzmann u. a. (Hrsg.), The Cambridge History of Later Medieval Philosophy, Cambridge 1982, 45–79.

Dondaine, A.: (1) Abréviations latines et signes recommandés pour l'apparat critique des éditions de textes médiévaux, in : Bulletin de la Société Internationale pour l'Etude de la Philosophie Mediévale 2 (1969), 142–149.

– (2) Variantes de l'apparat critique dans les éditions de textes latins médiévaux, in : Bulletin de la Société Internationale pour l'Etude de la Philosophie Médiévale 4 (1962), 82–100.

Evans, G. R.: (1) Boethian and Euclidian Axiomatic Method in the Theology of the Later 12th Century, in: Archives internationales d'histoire des sciences 30 (1980) 36–52.

– (2) Alan of Lille. The Frontiers of Theology in the Later Twelfth Century, Cambridge 1983.

Fuchs, H.: Art. Enkyklios Paideia in: Reallexikon für Antike und Christentum 5 (1962) Sp. 365–398 .

Gilbert, N. W.: Renaissance Concepts of Method, New York 1960.

Glorieux, P.: (1) Répertoire des mâitres en théologie de Paris au XIIIe siècle 1, Paris 1933.

– (2) La Faculté des arts et ses mâitres au XIIIe siècle, Paris 1971.

– (3) L'auteur de l'Ars fidei catholicae, in: Recherches de théologie ancienne et médiévale 23 (1956) 118–122.

Grabmann, M.: (1) Die Geschichte der scholastischen Methode, Freiburg 1911, Ndr. Graz 1957.

– (2) Bearbeitungen und Auslegungen der aristotelischen Logik aus der Zeit von Petrus Abaelard bis Petrus Hispanus (= Abhandlungen der Preußischen Akademie der Wissenschaften 1937, Philosophisch-historische Klasse 5) Berlin 1937.

– (3) Aristoteles im 12. Jahrhundert, in: ders.: Mittelalterliches Geistesleben. Abhandlungen zur Geschichte der Scholastik und Mystik 3, hrsg. v. L. Ott, München 1956, Ndr. Hildesheim ²1984, 64–127.

Hadot, I.: Arts libéraux et philosophie dans la pensée antique (= Etudes Augustiniennes) Paris 1984.

Häring, N. M.: Einleitung, in: Die Zwettler Summe. Einleitung und Text, hrsg. v. N. M. Häring, (= Beiträge zur Geschichte der Philosophie und Theologie des Mittelalters N. F. 15) Münster 1977, 1–22.

Hauréau, B.: (1) Histoire de la philosophie scolastique, Paris 1872, Ndr. Frankfurt 1966.

– (2) Notices et extraits de quelques manuscrits latins de la bibliothèque nationale 5, Paris 1892.

Hödl, L., Schipperges, H.: Art. Artes liberales, in: Lexikon des Mittelalters 1 (1980) 1058–1063.

Honnefelder, L.: Ens inquantum ens. Der Begriff des Seienden als solchen als Gegenstand der Metaphysik nach der Lehre des Johannes Duns Scotus (= Beiträge zur Geschichte der Philosophie und Theologie des Mittelalters NF 16) Münster ²1989.

Hudry, F.: Introduction, in: Le livre des XXIV philosophes, traduit du latin, édité et annoté par F. Hudry, Grenoble 1989, 6–81.

Huning, A.: Art. Per se notum, in: Historisches Wörterbuch der Philosophie 7 (1989) 262–266.

Illmer, D.: Art. Artes liberales, in: Theologische Realenzyklopädie 4 (1979) 156–171.

Jolivet, J.: Remarques sur les „Regulae theologicae" d'Alain de Lille, in: H. Roussel, F. Suard (Hrsg.), Alain de Lille – Gautier de Châtillon – Jakemart Giélée et leur temps, Lille 1980, 83–94.

Klinkenberg, H. M.: Art. Artes liberales/artes mechanicae, in: Historisches Wörterbuch der Philosophie 1 (1971) 531–535.

Kluxen, W.: Der Begriff der Wissenschaft, in: P. Weimar (Hrsg.), Die Renaissance der Wissenschaften im 12. Jahrhundert (= Zürcher Hochschulforum 2) Zürich 1981, 273–293.

Kobusch, Th.: Art. Axiom, in: Lexikon des Mittelalters 1 (1980) Sp. 1310–1312.

Koch, J. (Hrsg.): (1) Artes liberales. Von der antiken Bildung zur Wissenschaft des Mittelalters (= Studien und Texte zur Geistesgeschichte des Mittelalters 5) Leiden 1959.

– (2) Von der Bildung der Antike zur Wissenschaft des Mittelalters, in: ders., Kleine Schriften 1 (= Storia e letteratura. Raccolta di studi e testi 127) Rom 1973, 115–132.

Kühnert, F.: Allgemeinbildung und Fachbildung in der Antike (= Deutsche Akademie der Wissenschaften zu Berlin, Schriften der Sektion für Altertumswissenschaft 30) Berlin 1961.

Lang, A.: Die theologische Prinzipienlehre der mittelalterlichen Scholastik, Freiburg 1964.

Lindberg, D. C.: The Transmission of Greek and Arabic Learning to the West, in: ders., Science in the Middle Ages, Chicago 1987, 52–90.

Lohr, Ch.: (1) Theologie und/als Wissenschaft im frühen 13. Jahrhundert, in: Communio 10 (1981) 316–330.

– (2) Mittelalterliche Theologien, in: P. Eicher (Hrsg.), Neues Handbuch theologischer Grundbegriffe 3, München 1985, 127–144.

– (3) The Pseudo-Aristotelian Liber de causis and Latin Theories of Science in the Twelfth and Thirteenth Centuries, in: J. Kraye u. a. (Hrsg.), Pseudo-Aristotle in the Middle Ages. The Theology and Other Texts, London 1986, 53–62.

Maas, P.: Textkritik, 3. erw. Aufl. Leipzig 1957.

Magnard, P.: La demeure de l'être, in: ders. u. a. (Hrsg.), La demeure de l'être. Autour d'un anonyme. Etude et traduction du Liber de Causis (= Philologie et Mercure) Paris 1990, 9–28.

Marenbon, J.: Gilbert von Poitiers, in: P. Dronke (Hrsg.), A History of Twelfth-Century Western Philosophy, Cambridge 1986, 328–352.

Marrou, H.I.: (1) Geschichte der Erziehung im klassischen Altertum, hrsg. v. R. Harder, Freiburg 1957.

– (2) Les arts libéraux dans l'antiquité classique, in: Arts libéraux et philosophie au moyen âge. Actes du 4e Congrès international de philosophie médiévale, Paris 1969, 5–27.

McKeon, R.: The Organization of Sciences and the Relation of Cultures in the Twelfth and Thirteenth Centuries, in: J. E. Murdoch, E. D. Sylla (Hrsg.), The Cultural Context of Medieval Learning (= Boston Studies in the Philosophy of Science 26) Dordrecht 1975, 151–184.

Müller, A. u. a.: Art. Kunst, Kunstwerk, in: Historisches Wörterbuch der Philosophie 4 (1976) 1357–1434.

Nielsen, L. O.: Theology and Philosophy in the Twelfth Century. A Study of Gilbert Porreta's Thinking and the Theological Expositions of the Doctrine of Incarnation during the Period 1130–1180 (= Acta Theologica Danica 15) Leiden 1982.

Oeing-Hanhoff, L.: (1) Die Methoden der Metaphysik im Mittelalter, in: P. Wilpert (Hrsg.), Die Metaphysik im Mittelalter. Ihr Ursprung und ihre Bedeutung (= Miscellanea Mediaevalia 2) Berlin 1963, 71–91.

– (2) Über den Fortschritt der Philosophie. Geschichte und Stand des Problems, in: H. Kuhn, F. Wiedmann (Hrsg.), Die Philosophie und die Frage nach dem Fortschritt, München 1966, 73–106.

– (3) Art. Axiom, II. Geschichte, in: Historisches Wörterbuch der Philosophie 1 (1971) 741–748.

Ritter, J. u. a.: Art. Methode, in: Historisches Wörterbuch der Philosophie 5 (1980) 1304–1332.

Schrimpf, G.: (1) Die Axiomenschrift des Boethius (De Hebdomadibus) als philosophisches Lehrbuch des Mittelalters (= Studien zur Problemgeschichte der Antike und mittelalterlichen Philosophie 2) Leiden 1966.

– (2) Bausteine für einen historischen Begriff der scholastischen Philosophie, in: J. P. Beckmann u. a. (Hrsg.), Philosophie im Mittelalter. Entwicklungslinien und Paradigmen, Hamburg 1987, 1–25.

– (3) Art. Philosophie. Institutionelle Formen. B. Mittelalter, in: Historisches Wörterbuch der Philosophie 7 (1989) 800–819.

Schüling, H.: Die Geschichte der axiomatischen Methode im 16. und beginnenden 17. Jahrhundert (Wandlung der Wissenschaftsauffassung) (= Studien und Materialien zur Geschichte der Philosophie 13) Hildesheim 1969.

Stegmüller, F.: Repertorium commentariorum in sententias Petri Lombardi, Würzburg 1947.

Szabó, A.: (1) Anfänge der griechischen Mathematik, Wien 1969.

– (2) Art. Axiom, I. Axiom und Postulat, in: Historisches Wörterbuch der Philosophie 1 (1971) 737–741.

van Elswijk, H. C.: Gilbert Porreta. Sa vie, son oeuvre, sa pensée (= Spicilegium Sacrum Lovaniense. Etudes et documents 33) Leuven 1966.

Verbeke, G.: Les éditions critiques des textes médiévaux, in: L'homme et son destin (= Actes du premier Congrès International de Philosophie Médiévale) Louvain 1960, 777–794.

NAMENVERZEICHNIS

Zum ersten und zum zweiten Teil

Ein * nach einer Seitenzahl zeigt an, daß der Name nur in einer Fußnote vorkommt.

SACHVERZEICHNIS

Zum ersten Teil

Zum dritten Teil

spiritus 104
– spiritus rationalis 89–90
substantia 78, 80–81, 84–86, 87, 89,
    106–107, 109–110, 113, 116

theorema 79–81 u.a.m.

utilis 88–89

virgo 98
vis 106, 109–110, 117
voluntas 79, 93, 95, 106, 108, 111, 114,
    116